LINGUAGEM E DIREITO

Dêixis discursiva: usos nas sentenças judiciais cíveis

DANIEL CÉSAR FRANKLIN CHACON

LINGUAGEM E DIREITO

Dêixis discursiva: usos nas sentenças judiciais cíveis

Copyright © 2018 de Daniel César Franklin Chacon
Todos os direitos desta edição reservados à Editora Labrador.

Coordenação editorial
Diana Szylit

Projeto gráfico e diagramação
Caio Cardoso

Capa
Felipe Rosa

Imagens da capa
Ktsimage (elements.envato.com)
Tbel Abuseridze (unsplash.com)

Revisão
Bonie Santos
Gabriela Castro

Dados Internacionais de Catalogação na Publicação (CIP)
Angélica Ilacqua CRB-8/7057

Chacon, Daniel César Franklin
   Linguagem e direito : dêixis discursiva: usos nas sentenças judiciais cíveis / Daniel César Franklin Chacon. – São Paulo : Labrador, 2018.
   176 p.

Bibliografia
ISBN 978-85-87740-29-8

1. Linguística 2. Direito – Linguagem I. Título.

18-1782   CDD 410

Índices para catálogo sistemático:
1. Linguística – Direito
2. Direito – Linguagem

Editora Labrador
Diretor editorial: Daniel Pinsky
Conselho editorial: Carolina Vivian Minte Vera, Cesar Alexandre de Souza e Ilana Pinsky
Rua Dr. José Elias, 520 – Alto da Lapa
05083-030 – São Paulo – SP
Telefone: +55 (11) 3641-7446
contato@editoralabrador.com.br
www.editoralabrador.com.br

A reprodução de qualquer parte desta obra é ilegal e configura uma apropriação indevida dos direitos intelectuais e patrimoniais do autor.

A editora não é responsável pelo conteúdo deste livro.

O autor conhece os fatos narrados, pelos quais é responsável, assim como se responsabiliza pelos juízos emitidos.

À minha querida e amada Jussara: esposa, amiga e companheira de todas as horas; sempre com seu apoio irrestrito e seu incentivo constante. Aos nossos filhos, Emmanuel, Isabella e Daniella. Eis aí a razão maior de minha persistência e de meus sonhos!

As comunicações jurídicas, assim como as econômicas, políticas, são quase que impenetráveis às grandes massas, tanto pela variedade linguística quanto pela complexidade e especificidade dos conteúdos dos referenciais transmitidos.
Gnerre

Cada um de nós compõe a sua história; cada ser, em si, carrega o dom de ser capaz; de ser feliz.
Renato Teixeira e Almir Sater

SUMÁRIO

Ligeiro relato do universo do autor, 13

Prefácio, 17

Abreviaturas, 21

1. A LINGUAGEM E O DIREITO, 23

2. A REFERÊNCIA, 31
2.1 Algumas palavras sobre o tema, 31
2.2 Referência/referenciação além da relação linguagem-mundo, 36
2.3 Referência exofórica: uma conceituação, 41

3. A DÊIXIS, 49
3.1 Definição e gênese da dêixis, 50
3.2 Categorias dos dêiticos, 58
    3.2.1 Dêixis de pessoa (DP), 60
    3.2.2 Dêixis de tempo (DT), 64
    3.2.3 Dêixis de espaço (DE), 71

3.2.4 Dêixis social (DS), 79

3.2.5 Dêixis discursiva (DD), 82

3.3 Considerações sobre dêixis discursiva e anáfora, 96

3.4 Dêixis: semântica ou pragmática?, 105

4. PROCEDIMENTOS METODOLÓGICOS, ANÁLISE E DISCUSSÃO DOS RESULTADOS, 109

4.1 *Corpus* e abordagem metodológica, 109

4.1.1 Categorias de análise, 113

4.1.2 Metodologia, 116

4.2 Análise de dados, 117

4.2.1 Análise da sentença judicial cível 01 (SCJ 01) – fragmentos textuais, 118

4.2.2 Análise da sentença judicial cível 02 (SJC 02) – fragmentos textuais, 123

4.2.3 Análise da sentença judicial cível 03 (SJC 03) – fragmentos textuais, 125

4.2.4 Análise da sentença judicial cível 04 (SJC 04) – fragmentos textuais, 127

4.2.5 Análise da sentença judicial cível 05 (SJC 05) – fragmentos textuais, 130

4.2.6 Análise da sentença judicial cível 06 (SJC 06) – fragmentos textuais, 132

4.2.7 Análise da sentença judicial cível 07 (SJC 07) – fragmentos textuais, 134

4.2.8 Análise da sentença judicial cível 08 (SJC 08) – fragmentos textuais, 137

4.2.9 Análise da sentença judicial cível 09 (SJC 09) – fragmentos textuais, 142

4.2.10 Análise da sentença judicial cível 10 (SJC 10) – fragmentos textuais, 142

4.2.11 Análise da sentença judicial cível 11 (SJC 11) – fragmentos textuais, 148

4.2.12 Análise da sentença judicial cível 12 (SJC 12) – fragmentos textuais, 150

4.2.13 Análise da sentença judicial cível 13 (SJC 13) – fragmentos textuais, 152

4.3 Discussão dos resultados, 154

Considerações finais, 165

Referências bibliográficas, 171

LIGEIRO RELATO DO UNIVERSO DO AUTOR

Relato o que vi e ouvi e aquilo que alguém deu de si.
Padre Antônio Vieira

Recebi com imenso prazer o arquivo com o texto da tese de doutorado de Daniel Chacon, professor da Universidade Federal da Paraíba, campus IV, diplomado em odontologia e direito, com mestrado e doutorado nas áreas de linguística e direito, nascido em João Pessoa, por adoção de Conceição do Piancó, da gema, filho da saudosa e reverenciada Francisca Cordeiro, dona Bia Cordeiro, e do pessoense, funcionário dos Correios e Telégrafos, senhor Alci Chacon; neto materno do lendário e legendário "seo" Cordeiro, pessoa de fino trato, espírito vivo e apurada verve. A tese acadêmica intitulada *Linguagem e direito*, que acompanha o subtítulo *Dêixis discursiva: usos nas sentenças judiciais cíveis*, acaba de ser adaptada, conforme desejo do autor, para livro, como uma maneira de facilitar o acesso e estender o alcance de sua obra no ambiente universitário, além de levar a sua fundamental razão de existir para outros lugares mais afastados das bancas universitárias, em busca do leitor em geral.

Sua obra está aqui, posta em minha frente, inteirinha à disposição. Ninguém pode imaginar a satisfação que sinto neste momento mágico. Sinto-me como um aventureiro que se embrenha no desconhecido e acredito que os adeptos da boa leitura compreendem o que quero afirmar. O olhar cobiçoso percorre lentamente, como deve ser nesses momentos, palavra por palavra, página por página, para melhor assimilar as nuances e entranhas desta obra de cunho lítero-jurídico.

Para quem não sabe, o professor Daniel Chacon não é nenhum principiante nesse ofício, nem mero diletante, nenhum estranho no ninho; é, sim, o que se pode chamar de um amante das artes e da literatura. Carrega no seu costado, fruto de sua lavra fecunda, uma produção intensa e valorosa e que agora se enriquece e se avoluma com o advento de um novo rebento. É eclético por excelência: colhe em várias fontes do saber. Suas produções literária, artística e científica passeiam pelos mais diversos gêneros do conhecimento, onde desponta a poesia em seu mais puro estado lírico, repleta de sentimentos incontidos; as que mais o tocam, aquelas preferidas do autor, campearam mundo afora, adquiriram longas pernas, por meio de publicações, e é muito bom que se diga que são muito bem-aceitas e acatadas. O autor, segundo afirma, nutre o firme propósito de se encaminhar pelo mundo encantado da ficção; o romance, o conto e o cotidiano da crônica são seus xodós. Pretende, como se diz, liberar a imaginação, dar asas à fantasia, descrever a realidade nua e crua, por vezes perversa, outras vezes compassiva, trágica e cômica, real e irreal, e dar outra feição por meio de imagens fantásticas, de metáforas e artifícios, com as sutilezas da mente criadora.

O professor Daniel Chacon, como se pode constatar, é um pesquisador atento e constante, e não o é por veleidade ou por curiosidade; utiliza-se de metodologia científica e de técnica apurada e abalizada, ancorado em estudos vários e nos grandes autores. Se não bastasse, é resguardado por certificados do Ministério da Educação e do CNPq, órgãos do Governo Federal. Tem régua e compasso, como na canção de Gilberto Gil. Fala de cátedra. Colaborou e ainda colabora em vários órgãos da imprensa local e alhures, e em edições universitárias, com trabalhos jurídicos, científicos e acadêmicos de um modo geral.

A composição e a organização da sua tese de doutorado, objeto do trabalho, sem pretender entrar no mérito, é uma prova bastante eloquente da agudeza de espírito e largueza de sua visão. Uma pesquisa de profissional, acima de tudo, que realiza uma enorme e primorosa contribuição para a clarificação da linguagem jurídica, tão hermética e impregnada de conceitos e terminologias que fogem do alcance e do entendimento do leitor comum, do grande público, para quem, em última análise, é destinada. Em geral, uma linguagem afeita aos tribunais e aos estudiosos do direito.

O professor Daniel Chacon também preserva, ao lado da esposa, Jussara Lopes de Lacerda Franklin Chacon, doces momentos de lazer. Um adepto da boa música. Deu os primeiros passos na arte ainda aos doze anos de idade, na cidade de Conceição, na Paraíba, onde participava da formação da Filarmônica Zeca Ramalho, no naipe clarinete. De lá para cá, só tem se aprimorado. Domina vários instrumentos de orquestra; os de percussão, de madeiras, de metais; entre os instrumentos de cordas, sente uma propensão, um impulso, pelo violão, e, pelo visto, é correspondido. É um violonista de nomeada.

Carlos Henrique Leite

PREFÁCIO

As diferentes esferas de atividade humana, em sua constituição e funcionalidade, são permeadas por interações verbais, as quais se manifestam em formas relativamente estáveis de textos, os gêneros discursivos, como denomina Mikhail Bakhtin.[1] Esses textos/discursos não só revelam como as interações verbais se dão, mas também as organizam, as sistematizam e permitem que os indivíduos possam agir socialmente.

No universo jurídico, enquanto atividade humana, é possível encontrar diferentes gêneros discursivos que sistematizam o exercício do direito e do dever. Esses gêneros, entre os quais está a sentença, objeto deste livro, permitem que os indivíduos possam reivindicar seus direitos, que os agentes possam realizar investigações e tomar decisões e possibilitam que as decisões sejam contestadas ou executadas, entre outras ações próprias desse universo de atividade humana.

Em cada um desses gêneros, de maneira particular, a linguagem vai adquirindo contornos próprios, de modo a permitir que o gênero cumpra sua função específica. Daí a necessidade de investigações científicas que nos permitam entender como a linguagem se manifesta em cada um desses gêneros, particularmente.

Investigações dessa natureza nos possibilitam responder a questões como: "De que maneira a linguagem se comporta em um gênero como

---

[1] Bakhtin, Mikhail. *Estética da criação verbal*. 3. ed. São Paulo: Martins Fontes, 2000.

a petição, de modo que possibilite a solicitação de um suposto direito de forma eficaz?". Ou: "Quais recursos linguísticos são mobilizados em gêneros com a oitiva de testemunha de maneira que se consiga averiguar a expressão da certeza sobre os fatos narrados?". Ou ainda: "Quais elementos linguísticos são utilizados no gênero sentença judicial de modo que possibilitem a expressão e a tomada de decisões?".

É nesse contexto que se apresenta a pesquisa realizada por Daniel Chacon nesta obra. O autor investiga um dos elementos linguístico-discursivos presentes no gênero sentença judicial, o fenômeno da dêixis, mais especificamente a dêixis discursiva. Como o próprio autor afirma, seu objetivo de pesquisa é analisar o uso de dêiticos discursivos (DDs) em sentenças judiciais cíveis (SJCs) como elementos que as organizam e exercem diversas funções.

Partindo desse objetivo geral, a investigação levada a cabo pelo pesquisador, em sua tese de doutorado em linguística, aqui sob a forma de livro, demonstra como, a partir da presença de elementos dêiticos, aspectos da materialidade textual (cotexto) se aproximam da realidade enunciativa (contexto), ao mesmo tempo em que o discurso é organizado. Além disso, o autor observou que os elementos dêiticos discursivos exercem diversas funções no gênero pesquisado, como as de ordenação, focalização, categorização e argumentação.

A pesquisa realizada nos permite, assim, conhecer aspectos constitutivos da linguagem utilizada no gênero sentença judicial, abrindo espaço para uma reflexão sobre o funcionamento da linguagem utilizada nesse gênero, em especial, e no universo jurídico, de maneira geral. É nesse sentido que a pesquisa realizada ganha importância, uma vez que mapeia o funcionamento de um fenômeno linguístico-discursivo que constitui o gênero sentença judicial e nos revela aspectos da linguagem utilizada na atividade humana denominada aqui universo ou domínio jurídico.

Sinalizamos, por fim, que é importante o leitor ficar atento para o fato de que o fenômeno da dêixis deve ser entendido a partir de sua relação do linguístico (verbal) com o pragmático (contextual), uma vez que se constitui em marcas linguísticas deixadas pelo locutor (aquele que se apresenta como responsável pelo texto) em seu próprio discurso, que só podem ser compreendidas a partir do contexto em que se deu a materialidade do texto. Essas marcas ora demarcam o lugar e o tempo dos quais se fala, ora constituem o locutor enquanto sujeito enunciativo, ora lhe permitem organizar o seu discurso de determinada forma, em razão de determinados objetivos.

Nesse sentido, compreender o fenômeno da dêixis em um determinado gênero discursivo, como é o caso da sentença judicial, permite observar como se materializam o texto e o contexto e como aquele que se apresenta responsável pelo discurso se porta diante do dito. Assim, revela posicionamentos, papéis e ações realizadas pelo sujeito responsável pela enunciação no processo de constituição do seu dizer e do seu fazer pela linguagem.

Desejamos a todos que possam realizar uma boa incursão, a partir desta obra, no universo dos estudos da pragmática linguística, mais especificamente no que se trata dos estudos da dêixis discursiva, a partir de seu uso e funcionamento em um dos mais importantes gêneros da esfera jurídica, a sentença judicial.

Prof. Dr. Erivaldo Pereira do Nascimento

ABREVIATURAS

DD	Dêixis discursiva; dêitico discursivo
DDO	Dêitico discursivo ordenador
DDA	Dêitico discursivo argumentativo
DDF	Dêitico discursivo focalizador
DDC	Dêitico discursivo categorizador
DP	Dêixis pessoal
DE	Dêixis espacial ou de lugar
DT	Dêixis de tempo
DS	Dêixis social
SJC	Sentença judicial cível
FS	Fragmento textual das SJCs
TC	Tempo de codificação
TR	Tempo de recebimento
SN	Sintagma nominal

1
A LINGUAGEM E O DIREITO

Existe no mundo atual um movimento de pesquisadores preocupados com a modernização e a clarificação do discurso jurídico. A função central de toda forma de linguagem, desde as mais simples até as mais técnicas, é permitir a comunicação, não apenas no sentido de transmitir a mensagem, mas, sobretudo, com a intenção de facilitar a compreensão e o entendimento. Lembramos aqui os "atos de fala", estudados pela linguística e que podem ser usados para avisar, informar, prometer, pedir, ordenar, influenciar e exercer determinadas intenções e condições.

Quando o juiz de direito, em suas decisões, diz, ao final de uma sentença, "Cumpra-se", ele avisa, ordena, determina, exerce a sua intenção e espera o resultado. É a palavra do Poder por meio do poder da Palavra, o que na linguística é chamado de ato de fala performativo.

A maioria das pessoas na sociedade encontra-se, em determinados momentos, excluída de grupos que usam linguagens especiais, como o grupo que faz uso da linguagem jurídica. A linguagem jurídica, por vários fatores, dentre eles a sua dinamicidade e o seu caráter técnico, tem sido alvo de críticas e discussões por parte da sociedade. Nesse contexto, é crescente, entre doutrinadores da linguística e do direito, a vontade de investigar[2]

---

[2] Lembramos a Universidade Federal de Santa Catarina (UFSC), que lançou em 2014 a revista científica semestral internacional *Language and law* (linguagem e direito). Também em nível internacional destacamos a revista *Forensic Linguistics: The International Journal of Speech Language and the Law*, que é uma referência nos estudos da linguística forense e da relação

as práticas da linguagem no domínio discursivo jurídico; isso porque, no meu entendimento, há no direito uma dependência nítida de articulação linguística, seja do poder argumentativo e persuasivo, seja da capacidade de interpretar e elaborar textos coerentes e coesos.

Colares (2010, p. 13) afirma que o "domínio da relação entre a atividade jurisdicional e a linguagem está inserido numa prática transdisciplinar de estudos". A partir dessa afirmação, é possível observar que esses estudos consideram tanto abordagens hermenêuticas e dogmáticas em relação ao direito quanto vertentes linguístico-discursivas do funcionamento da linguagem como uma atividade sociocultural. Esses estudos também destacam o papel do elaborador do discurso jurídico, bem como a posição dos interlocutores e dos contextos sociais imediatos na situação interlocutiva.

A relação linguagem-direito é de suma importância para a convivência social e para a solução de conflitos de interesse gerados entre cidadãos. O direito, como normas reguladoras de conduta, necessita de textos escritos pelos seus operadores (juízes, promotores, advogados, procuradores, técnicos, analistas, pareceristas, assessores etc.) que possam dar publicidade aos seus atos administrativos, exteriorizando e comunicando as suas decisões.

De acordo com Novaes (2014, p. 922), vários gêneros são produzidos no domínio discursivo jurídico quando analisamos os diferentes tipos de processos judiciais, como: petições (pedidos iniciais), contestações (defesas), termos de depoimentos (de testemunhas), termos de interrogatórios (de acusados); sentenças judiciais (cíveis, penais, trabalhistas, eleitorais, previdenciárias, tributárias etc.), recursos, pareceres e acórdãos. Esses gêneros são chamados, no âmbito do direito, de "peças processuais" e possuem naturezas e finalidades diferentes. Eles apresentam a narração de fatos importantes nas diversas esferas da atividade humana e são elaborados a fim de compor e resolver os diferentes conflitos de interesse. Entre eles, dois têm a função de exteriorizar as decisões: a sentença e o acórdão.

---

entre linguagem e direito. Pontuamos ainda, a existência da Associação de Linguagem e Direito (Alidi), cujo objetivo é incentivar investigação, pesquisa e desenvolvimento nessa área nos países de língua portuguesa. Além disso, lembramos que, no Brasil e no mundo, há vários grupos de trabalho e pesquisa em alguns programas de pós-graduação em linguística, tais como o grupo de pesquisa Linguagem e Direito da Universidade Católica de Pernambuco (Unicap); o grupo Linguagem e Aplicação do Direito da Universidade Federal de Alagoas (Ufal); e o grupo Edap (Estudios del discurso acadêmico y profesional) da Universidade de Barcelona, na Espanha.

O uso da oralidade também é comum no âmbito judicial, mas todas as falas são transformadas em textos escritos pelas técnicas da estenotipia,[3] da taquigrafia[4] ou por meio de gravações em mídias digitais, que ficam disponíveis para as transcrições ou degravações.[5]

A linguagem jurídica é específica e funcional, formada por seus glossários (vocabulários) e por seu discurso; é também um viés do estudo da linguagem que possui duplo caráter: linguístico (todos os meios linguísticos utilizados no direito, como palavras, frases, textos, estrutura, estilo, apresentação etc.) e jurídico, quando se utiliza a linguagem própria do direito (lei, norma, decreto, processo etc.).

A área jurídica é intrinsecamente ligada ao mundo da linguagem, falada e escrita. Nessa perspectiva, observamos que o direito flui na linguagem e a linguagem auxilia a prática do direito. A existência, na língua, de um vocabulário jurídico revela a existência de uma linguagem jurídica estudada pela linguística, denominada por Petri (2008, p. 27) "linguística jurídica".

Antes que se prossiga, é necessário dizer que aporto a minha reflexão na existência de uma linguagem própria do direito e que o âmbito desse domínio discursivo propicia significados particulares a certos termos, proposições e enunciados que o compõem. O texto jurídico, como meio de comunicação, pressupõe a interação entre agentes que vivem

---

[3] O termo "estenotipia" advém do grego *stenos*, que significa "curto", "abreviado", e *typos*, que significa "impressão". É utilizado para designar a maneira pela qual se obtém o registro do que é falado, através de uma máquina, em tempo real, ou seja, na mesma velocidade em que as palavras são pronunciadas. O trabalho do estenotipista consiste em ouvir as palavras que estão sendo ditas, traduzi-las para os códigos que aprendeu durante o curso e estenotipá-las na máquina, chamada estenótipo. O estenótipo é ligado a um computador através de um cabo especial que transmite os códigos estenotipados (digitados no estenótipo) para um programa próprio no computador, que, por sua vez, traduz os códigos de volta para o português. Assim, à medida que a pessoa vai falando e o estenotipista vai transcrevendo sua fala, é gerado um arquivo de texto no computador, o que possibilita que, logo que é terminada a exposição do falante, seja impresso tudo o que foi dito. Disponível em: <www.dicionarioinformal.com.br/estenotipia>. Acesso em: 20 set. 2016.

[4] A diferença entre "taquigrafia" e "estenotipia" (do inglês, *stenotype*) é que a taquigrafia é feita à mão, geralmente usando lápis ou caneta; já a estenotipia utiliza máquinas próprias na composição dos códigos estenotipados. Os sistemas típicos da taquigrafia fornecem símbolos ou abreviaturas para as palavras e as frases comuns, o que permite que alguém bem treinado no sistema escreva tão rapidamente que possa acompanhar as falas de um discurso. Disponível em: <https://pt.wikipedia.org/wiki/taquigrafia>. Acesso em: 20 set. 2016.

[5] "Degravação" é um jargão utilizado pela polícia e por parte do meio jurídico para se referir à versão escrita de qualquer conteúdo de áudio e/ou vídeo e tem o mesmo significado que a palavra "transcrição", sendo apenas uma maneira informal de dizer a mesma coisa.

em sociedade sob a necessidade da regulamentação de condutas em um espaço determinado.

Entendo que o linguista tem também, entre suas diversas atribuições a favor da cidadania e da responsabilidade social, junto com os juristas, o papel de desvelar, desmistificar, clarificar e modernizar o entendimento da linguagem jurídica.

A manifestação de significados e sentidos que aparece nesse modelo de linguagem pode e deve ser analisada pelos profissionais da linguística, a fim de que a pesquisa possa produzir frutos e ajudar pessoas, tais como os cidadãos que procuram seus direitos na esfera judicial.

Também é necessário considerar a ligação que existe entre a ciência do direito e a linguística no sentido de que a linguagem jurídica, pelo seu tecnicismo e, às vezes, por seu rigor e sua complexidade no uso de termos linguísticos, provoca certo distanciamento dos cidadãos que necessitam receber as informações das atividades desse domínio discursivo.

Minha abordagem, nesse momento, se faz sobre o gênero textual do domínio discursivo jurídico sentença judicial cível (SJC). Os motivos são: primeiro, pela minha formação em Ciências Jurídicas, fazendo com que, como professor, lide diuturnamente com textos judiciais; segundo, porque durante os meus estudos linguísticos, no Programa de Pós-Graduação em Linguística (Proling) da Universidade Federal da Paraíba (UFPB), tive *insights* que me levaram a vislumbrar o funcionamento dos dêiticos discursivos (DDs) nas SJCs como elementos que as organizam e exercem diversas funções dentro do texto.

Partindo desse aspecto motivador, tomei como referencial teórico básico trabalhos de autores da linguística, como: Benveniste (1989; 2005 [1979]), onde encontrei a existência de uma preocupação semântica, transportando a discussão do binômio "palavras/coisas" (visão objetivista) para a tríade "palavra/referência/realidade" (visão existencial); Fillmore (1971), que dispõe sobre a importância da informação dêitica na interpretação de enunciações, sabendo-se que, para o autor, essa informação começa quando a dêixis aponta, em algumas situações interlocutivas, os "vazios" referenciais – Fillmore também se destaca na caracterização de uma espécie de dêixis que citamos neste trabalho: a dêixis social (DS); Lahud (1979), onde encontramos posições, assumidas pelo autor, de que toda língua natural possui mediadores simbólicos de experiências do mundo e nenhuma delas poderia prescindir desses elementos simbólicos e pré-estruturantes – para

Lahud, o homem é um "animal semiótico", ou seja, ele pode se comunicar por meio de signos e não apenas por sinais.

Recorri ainda aos ensinamentos de Lyons (1979), quando afirma que a dêixis é organizada sobre um eixo egocêntrico, e esse "eixo" para ele é o falante. De Levinson (2007 [1983]), Marcuschi (2008), Cavalcante (2000a; 2013), Cavalcante e Lima (2013), Cavalcante et al. (2014), Duarte (2002b), Catunda (2009) e Espíndola (2012), utilizei os critérios de caracterização dos dêiticos e da referência a porções difusas do discurso, levando-se em consideração o posicionamento do falante na situação enunciativa e destacando a importância de expressões DD nos processos referenciais do texto.

Vale mencionar, entretanto, que, durante a pesquisa, encontrei, em outros gêneros textuais discursivos, a temática aqui tratada, bem como deparei com investigações sobre outros fenômenos e teorias em gêneros textuais do domínio discursivo jurídico, como: a intersubjetividade em sentenças judiciais (Freitas, 2008); a subjetividade nos acórdãos dos tribunais (Lellis, 2008); a subjetividade linguisticamente marcada em pareceres técnicos e jurídicos (Silva, 2007); a análise pragmática do gênero jurídico acórdão, com atenção especial para os dêiticos discursivos (Catunda, 2009); mecanismos sintático-discursivos da argumentação em sentença judicial (de Deus, 2004); o boletim de ocorrência sob o aspecto da dêixis de base espacial como processo de instauração e manutenção de referência (Tristão, 2007); e uma análise pragmática de interrogatórios realizados no fórum criminal da comarca de João Pessoa (PB) – "O senhor sabe do que está sendo acusado?" (Espíndola; Ferreira, 2012).

Todos esses trabalhos citados e outros que possam existir têm contribuído para as diferentes análises e justificam o ascendente interesse da pesquisa linguística no domínio discursivo jurídico.

Assim, essa inquietação me levou a justificar a presente investigação, primeiro pela constante atualidade desse tema, visto que, como diz o enunciado jurídico, *ubi societas, ibi jus* ("onde está a sociedade, aí está o direito"), e também por se constituir em mais uma contribuição que pode ajudar a compreender o fenômeno linguístico da dêixis no domínio discursivo jurídico nas SJCs, o qual se faz presente em grande parte dos textos utilizados nas relações sociais, sejam institucionais, coletivas ou individuais, mediadas pelo direito.

Surgiram, então, algumas questões. Quais as possíveis funções (usos) exercidas pelos DDs no gênero SJC? Dentre essas funções, qual é a que ocorre de maneira mais expressiva, mais recorrente? Pode um DD exercer, simultaneamente, mais de uma função na SJC?

A partir dessas premissas, escolhi como *corpus* desta pesquisa treze SJCs, parte delas publicada oficialmente em uma coletânea impressa e editada pelo Tribunal de Justiça da Paraíba. Outra parte foi encontrada em pesquisas feitas em Varas do Fórum Cível da Comarca de João Pessoa e em *sites* de Varas situadas em outros estados (Pernambuco, Goiás, Sergipe, São Paulo, Paraná, Rio Grande do Sul e Pará). Essas SJCs foram escolhidas pelo critério da presença de DD dentro de um total de cinquenta SJCs analisadas. O período temporal desses processos decorreu entre os anos 2001 e 2016.

Diante do exposto, estabeleci como objetivo geral investigar os usos dos dêiticos discursivos em sentenças judiciais cíveis como elementos que as organizam e exercem diversas funções. Já com os objetivos específicos pretendi identificar e mapear, nas SJCs, dêiticos discursivos; elencar as funções encontradas nos DDs catalogados; observar quais são os DDs que são mais recorrentes nas SJCs; identificar DDs que exercem, simultaneamente, mais de uma função na SJC.

Levando em consideração os objetivos traçados, procurei testar a hipótese de que nas SJCs existe uma significativa recorrência de DDs que exercem diversas funções, como as de ordenação, focalização, categorização e argumentação.

Adotei, então, um olhar semântico-discursivo e pragmático. Explico: há uma predominância da abordagem semântico-discursiva, porque analisei usos e funcionamento de elementos dêiticos discursivos no gênero SJC e, em menor proporção, lancei também um olhar pragmático, pois acredito e defendo a inseparabilidade entre "fazer" e "dizer" e entre "linguagem" e "contexto". Como demonstro na pesquisa, o fenômeno da dêixis tem essa característica de aproximar o cotexto da realidade enunciativa, realidade essa que envolve, implicitamente, o contexto de interlocução. Meu trabalho foi descritivo, interpretativista, analítico, de natureza bibliográfica e documental. Sendo assim, observei a língua em uso, por entender que o domínio discursivo jurídico, conforme Marcuschi (2008, p. 194), é uma "esfera da vida social ou institucional, na qual se dão práticas que organizam formas de comunicação e respectivas estratégias de compreensão" e que os domínios discursivos "acarretam formas de ação, reflexão e avaliação social que determinam formatos textuais que, em última instância, desembocam na estabilização de gêneros textuais".

Este livro está organizado da seguinte forma: no início, discorro sobre a importância do tema e apresento a minha justificativa de pesquisa, a proposta do trabalho, o enquadramento teórico das bases referenciais, a questão principal da investigação, a hipótese de estudos, o objetivo geral e os objetivos específicos.

Em seguida, trago algumas palavras sobre a referência, partindo de uma visão objetivista até chegar à concepção discursiva. Depois, dirijo um olhar sobre as concepções que existem de "referência" e de "referenciação" (além da relação linguagem-mundo), preocupando-me também em refletir teoricamente sobre a referência exofórica.

No capítulo seguinte, enveredo especificamente pelo fenômeno da dêixis, destacando sua gênese, sua definição e suas categorias. Discorro sobre a relação entre dêixis discursiva e anáforas, observando peculiaridades, diferenças e semelhanças entre elas. Finalizo essa parte da obra tratando das perspectivas semântico-discursivas e pragmáticas do fenômeno da dêixis.

Posteriormente, lanço um olhar para a abordagem metodológica, destacando o porquê do *corpus*, sua escolha, conceituação e identificação, sinalizando a SJC como gênero textual/discursivo. Logo após, caminho para a análise e a discussão dos dados coletados a fim de chegar aos resultados. Por fim, traço o contorno conclusivo que se dá por meio das considerações finais.

A REFERÊNCIA

Para discorrer, posteriormente, sobre o fenômeno da dêixis como temática central deste livro, ofereço uma visão sobre o processo de referência, fazendo, sem esgotar o assunto, neste percurso, uma abordagem sobre como se tratava antes e como se passou a trabalhar a questão desse assunto.

O tema "referência" é investigado há muito tempo por estudiosos da linguagem. Esses estudos convergem na tentativa de compreender como a linguagem pode "falar" do mundo. Na teoria linguística, a referência foi colocada, historicamente, à vista do que têm postulado alguns autores,[6] como um problema de representação do mundo. Surge, então, uma inquietação nesse campo teórico: "De que forma a função referencial da linguagem pode representar o mundo?".

2.1 Algumas palavras sobre o tema

Tentando responder ao questionamento anterior, explico que se discute a referência desde a Antiguidade e essa discussão carrega uma das questões mais importantes da linguística: esclarecer a relação entre palavras e coisas. Essa relação, consequentemente, levaria a linguagem a representar, por meio de recursos e fenômenos linguísticos, o mundo.

---

[6] Entre eles, Frege (1978) e Strawson (1980).

Os filósofos Platão e Aristóteles já estudavam, na Grécia Antiga, a relação palavra-mundo. Segundo Weedwood (2002, p. 27), Aristóteles observava que as impressões e as coisas são as mesmas para todos os homens, ao passo que "diferem as palavras que representam as interpretações".

De acordo com Neves (1981, p. 62), Aristóteles é o criador da Teoria das Categorias. As categorias compreendem "todas as palavras possíveis ou declarações possíveis e, assim, correspondentemente, compreendem todos os conceitos e todas as coisas". O ponto fundamental da Teoria Aristotélica das Categorias é o pensamento da estrutura da língua como correspondência da estrutura do mundo.

Sem a pretensão de aprofundar essa discussão das concepções aristotélicas sobre a relação palavra-mundo, passo a destacar parte de alguns estudos linguísticos contemporâneos. Estudos como os de Koch (2002), Mondada e Dubois (2003), Marcuschi (2008), Lima (2009) e Cavalcante e Lima (2013) atestam a importância da referência.

Essa discussão que fundamenta e permeia os conceitos de referência se relaciona também com a tríade "pensamento/língua/realidade". O debate também leva em conta o contexto em que acontecem as diversas situações interlocutivas, considerando-se da mesma forma o conhecimento de mundo (enciclopédico) e as vivências pessoais de cada um (Marcuschi, 2008; Cavalcante, 2013).

Um dos precursores dessa polêmica foi Frege (1848-1925), que, em seu artigo "Sobre o sentido e a referência", de 1978, valorizava a relação entre palavras e coisas. Citado por Perry (1991, p. 146), Frege procurou explicar como, na linguagem, acontece a relação de referência. Por conta disso, ele, em parte, foi de encontro ao pensamento saussuriano,[7] dominante nos primeiros estudos linguísticos, considerando que a relação entre palavras e coisas era excluída do funcionamento da língua e relegada a uma posição extralinguística que não interferia na construção dos sentidos.

---

[7] Nesse artigo, Frege tem como objetivo explicitar de que maneira a relação de referência acontece na linguagem, principalmente nos nomes próprios e nas sentenças assertivas. Em contrapartida, na linguística, especificamente na teorização de Ferdinand de Saussure, essa mesma relação é excluída do funcionamento da língua e relegada a uma ordem extralinguística, sem interferir na construção dos sentidos das palavras (Henriques, 2011, p. 4). Disponível em: <www.seer.ufu.br/index.php/horizontecientifico/Article/viewFile/12211/7220>. Acesso em: 15 ago. 2018.

Frege defendeu então, em sua teoria dos sentidos incomunicáveis, que, quando se pensa sobre si mesmo, agarram-se pensamentos que outros não podem controlar, a menos que sejam comunicados. Essa ideia o levou, segundo Perry, a estudar e a destacar um dos primeiros instrumentos que exteriorizaram os pensamentos: os pronomes demonstrativos. E qual a importância disso? Para esse autor, os demonstrativos atuavam como recursos linguísticos de reação à incomunicabilidade do pensamento, pois, quando utilizados em textos, promoviam uma espécie de referência, denominada por ele "referência indireta" (*indirect reference*, em inglês).

Com isso, a relação entre palavras e coisas passou a ser mais analisada nos meios teóricos, principalmente na filosofia da linguagem. A essa ideia deu-se o nome de "concepção referencial",[8] e, por ela, a linguagem teria sentido pelo fato de que, quando falamos, designamos referentes, ou seja, coisas, objetos, fatos, estados de coisas, de pessoas e de fatos, por meio das palavras.

Também em estudos passados, Strawson (1980, p. 271) dizia que, quando se afirma algo sobre uma determinada entidade (referente), pressupõe-se que essa entidade exista, mas nada certifica que, de fato, isso aconteça. Aqui reside mais um aspecto associado à noção de referência: a realidade. Nesse contexto, surge uma questão: "Referência implica realidade?". E o retorno à questão: "De que forma a função referencial da linguagem pode representar o mundo?".

Outra concepção histórica de referência aparece nos estudos de Benveniste (2005 [1979]). Segundo ele, filósofos, lógicos e linguistas insistiram com frequência na necessidade de demonstrar a distinção entre o referente de um signo e seu significado ou sentido. Saussure havia deixado um legado que, na concepção de Benveniste, carecia de um olhar sobre a questão da referência. Sendo assim, Benveniste começou a demonstrar uma preocupação semântica, transportando a discussão do binômio "palavras/coisas" (mundo) para a tríade "palavra/referência/realidade" (existência).

Em outras palavras, Benveniste explica que a função referencial da linguagem leva os locutores a designar objetos (referentes) que constituem o que podemos chamar de realidade extralinguística. Por exemplo, o pronome pessoal "eu" não se refere a ninguém nem a nada em particular; refere-se

---

[8] Para Rodrigues (1995, p. 9), "esta concepção de linguagem está presente, sobretudo, no neopositivismo ou no positivismo lógico", predominante no Círculo de Viena, fundado em 1923 por autores como Carnap, Russell, Tarski, Wittgenstein e Peirce.

a qualquer indivíduo que faça uso da palavra. O advérbio de lugar "aqui" compreende qualquer lugar onde alguém use a palavra.

Continuando minha reflexão, constatei, em Abraçado (2006, p. 139), que a autora retoma um entendimento de Bühler quando diz: "utilizamos, na linguagem verbal, três tipos de campos mostrativos: o situacional, o textual e o imaginário". Esses campos mostrativos são de natureza linguística e não física e servem para localizar um objeto de discurso (referente). O situacional envolve o contexto; o textual abrange o texto em si; e o imaginário abre espaço para inferências, crenças e para o conhecimento léxico e enciclopédico.

Nesse sentido, deparo com a questão levantada por Lyons (1979) a respeito da relação referência/existência. Existia, conforme o autor, uma visão denominada clássica de referência, que afirmava que a referência pressupunha a existência ou a realidade derivada de nossa experiência direta de objetos do mundo físico. Entretanto, para Lyons, embora não existam, por exemplo, entidades como unicórnios ou centauros, nós poderemos, em certos discursos, atribuir-lhes uma existência fictícia ou mítica. Com isso, vejo que nem sempre a referência teve relação direta com a realidade/existência, sendo possível encontrá-la no campo mostrativo imaginário.

Entendo que, para Benveniste, o que se imagina (campo mostrativo imaginário) pode ser tomado como referência e, assim, os interlocutores definem seus lugares na interlocução constituindo sua relação com o mundo. A língua, a meu ver, passou a se desdobrar, além de em forma, em funcionamento, em uma atividade interlocutiva com ênfase na questão da referência.

Essa reflexão sobre a mediação entre a língua e o mundo é importante no início deste estudo, pois o tratamento do fenômeno das dêixis perpassa pela questão dos símbolos além dos signos. Segundo Lahud,[9] toda língua natural possui mediadores simbólicos de experiências do mundo. Lahud apresenta em suas pesquisas as razões pelas quais "nenhuma língua natural poderia prescindir de elementos simbólicos e pré-estruturantes do mundo" e cita, como exemplo, os dêiticos, elementos que, em alguns momentos da situação interlocutiva, fazem a mediação simbólica entre a língua e o mundo.

---

[9] Michel Lahud dedicou o primeiro capítulo de sua obra *A propósito da noção de dêixis* (1979, pp. 15-26) à questão da filosofia da linguagem.

De acordo com Marcuschi (2008, p. 263), "o problema da significação não é resolver se as palavras correspondem a algo no mundo externo e sim o que fazemos do ponto de vista semântico quando usamos as palavras para dizer algo". Nesse sentido, para o autor, a referência vai além da relação entre linguagem e mundo, ela perpassa pela linguagem como atividade sociocognitiva em que a "interação, a cultura, a experiência e aspectos situacionais interferem na determinação referencial" (p. 139).

Adoto essa concepção e concordo com o autor, pois entendemos que a referência não pode se limitar às informações de um texto, mas, sobretudo, estende-se para a continuidade de informações dentro de processos sociocognitivos.

Historicamente, existe uma tentativa constante de se caminhar para além da simples representação do referente como objeto em nível cotextual, transpondo-o para o contexto de certas situações interlocutivas e propiciando, assim, uma atividade linguística mais dinâmica. Para que isso aconteça, levam-se em conta os processos de interação nos quais o texto é considerado, a exemplo de Cavalcante (2013, p. 19), como um evento no qual os sujeitos "são vistos como agentes sociais que levam em consideração o contexto sociocomunicativo, histórico e cultural para a construção dos sentidos e das referências dos textos".

Dessa forma, posso afirmar que a referência evoluiu no sentido de se desapegar da concepção engessada entre pensamento, língua e realidade para se aproximar das propostas sobre o entendimento de sentido-significado.

Nessa caminhada, observo, ainda, que houve uma evolução nos estudos sobre referência, partindo da concepção formal estruturalista, denominada por Benveniste (2005 [1979]) uma "visão objetivista", até atingir a concepção "discursiva" que traz a proposta do nome "referenciação", sinalizando uma passagem de um estado de "referência" para um processo, uma atividade.

Refletindo sobre esses questionamentos iniciais, entendo que tais estudos procuraram descobrir como a linguagem formula conhecimentos universais e como serve de mediadora entre o pensar e o dizer. Não pretendo responder a essas questões neste livro, mas elas são úteis para nortear uma reflexão sobre esses estudos linguísticos e filosóficos que se preocuparam com a evolução do sentido de referência. Não identifico ainda um consenso teórico sobre a referência, e acredito que tal situação faz com que essa discussão continue pertinente e desperte, cada vez mais, a atenção dos linguistas para estudos na área.

Trato em seguida de aspectos ligados a essa transposição: referência/referenciação.

2.2 Referência/referenciação além da relação linguagem-mundo

Aqui, tento traçar um entendimento sobre as concepções de referência e de referenciação. De acordo com Koch (2005), existe uma proposta elaborada por Mondada no ano de 2001 para substituir a noção de "referência" pela de "referenciação" e, em consequência, a noção de "referente" pela de "objeto de discurso". Entendo que esse processo acontece como uma estratégia de demonstrar a importância da abordagem sociocognitiva e interacional na produção, no funcionamento e na compreensão de textos.

O termo "referenciação" surgiu na Suíça a partir dos estudos de Mondada, que, ao conceber a linguagem como uma atividade discursiva, "cria objetos de discurso para designar que as coisas do/no mundo não estão prontas e nem definidas *a priori*, mas são (re)construídas a partir da interação verbal" (Soares, 2012, p. 4).

A partir de meados da década de 1990, outros estudos, como os de Mondada e Dubois (1995) e Apothéloz e Reichler-Béguelin (1995), começaram a questionar a antiga concepção clássica de referência e, assim sendo, a própria concepção de referente, fazendo surgir uma proposta de abordagem de uma referência de cunho não extensional,[10] hoje mais conhecida como referenciação:

> O termo **referenciação** foi cunhado por Mondada e Dubois (1995). Para essa concepção de referência, que descarta uma visão cartográfica do mundo, as categorias não são dadas *a priori*, numa perfeita relação de correspondência com os objetos mundanos, mas construídas *no* e *pelo* discurso [...] A referência, portanto, não pode ser vista como uma relação de correspondência entre as palavras e os objetos do mundo. A referenciação é, antes de tudo, uma **atividade discursiva,** e os referentes passam a ser concebidos como

---

[10] A de cunho extensional era aquela que propunha a organização de conceitos com base na compreensão de mundo pelo indivíduo.

objetos de discurso elaborados, pelos interlocutores, no interior dessa atividade (Lima; Feltes, 2013, pp. 31-32).[11]

Observo que, na concepção supracitada, aos poucos, dispensa-se a visão clássica de referência e institui-se um entendimento de que essa é uma atividade discursiva, dinâmica e que faz parte do processo de construção dos objetos de discurso (referentes) em um texto.

De acordo com Sírio Possenti, em mesa-redonda durante o 62º Seminário do Grupo de Estudo Linguístico do Estado de São Paulo (GEL), em 30 de junho de 2014,[12]

> Quando a linguística textual incorporou a questão da referenciação, ela se aproximou muito das Teorias Discursivas. [...] hoje se fala muito em linguística textual discursiva não bastando apenas uma análise linguística, mas também uma visão sociocognitiva.

Nessa perspectiva, os referentes são elevados à condição de objetos de discursos elaborados e não são mais a simples representação de coisas do mundo. Essa atividade recebe o nome de referenciação. Ela se apresenta como um processo de reflexão sobre certas realidades que sugerem que um mesmo objeto (referente) do mundo real pode ser processado pela referenciação e ser representado de diferentes maneiras.

Explicando essa "transformação" de referência em referenciação, tomemos, por empréstimo, alguns exemplos trazidos por Cavalcante et al. (2014, pp. 29-31):

ENUNCIADO 1

Rebolation é um single lançado pelo grupo de axé Parangolé no final de 2009 pela gravadora **Universal Music**. Já alcançou as paradas da **Billboard Brasil**, a 5ª posição no **Brasil Hot 100 Airplay**, entre outras, com destaque para a parada de

---

[11] Nas citações, marcou-se em itálico os grifos dos autores e em negrito os grifos meus.
[12] Sírio Possenti é analista do discurso. Esta fala foi gravada pelo pesquisador, em vídeo, durante o 62º Seminário do GEL-SP, realizado no Instituto de Estudos da Linguagem, na Universidade Estadual de Campinas, em Campinas, no estado de São Paulo, de 30 de junho a 3 de julho de 2014.

Salvador, Bahia, ficando na 4ª posição no **Salvador Hot Songs**. **A canção** ganhou uma repercussão nacional, principalmente nas mídias televisivas.

ENUNCIADO 2

Rebolation **invade a telinha**

Hoje, domingo, 28, a banda Parangolé mostra que está com tudo e estará no programa do Faustão com **o sucesso do carnaval**, o *Rebolation*, escolhida por muitos como **a música do carnaval 2010**. Léo Santana e o Parangolé estarão mais uma vez no cenário nacional.

Parangolé, que estará no Alafolia 2010 (Micareta de Alagoinhas), é a banda de pagode que está em maior evidência na mídia. Ao lançar o **sucesso** *Rebolation*, o grupo se consagrou como uma das maiores [bandas] do Brasil.

ENUNCIADO 3

Marcelo Pereira disse...

Rebolation fazendo sucesso na Europa e EUA? É ruim, hein? Devem ser uns três brasileiros pingados, que, de tanta saudade do país, acabam, inclusive, tendo que aderir ao **cocô pátrio**.

Os estrangeiros, que têm a mente mais evoluída que a nossa, sabem muito bem que o **"rebolation"** é **uma bobagem sem nexo** e, mesmo gostando, nunca levam a sério. Para eles não é cultura nem arte, é **uma brincadeira tola** mesmo. Por isso que as tentativas de exportar o popularesco como "cultura séria" fracassam.

Aqui no Brasil ainda tem a insistente ideia de transformar qualquer bobagem em "cultura" e "arte", para que se perpetue no (mau) gosto popular e gere lucros perpétuos. Mas só otários caem nessa. E não são poucos os otários.

Noto que os três enunciados têm em comum o referente[13] "Rebolation" (uma canção que obteve, segundo a imprensa, bastante destaque a partir do Carnaval de 2010) como objeto de discurso. Em cada um desses textos são utilizadas expressões referenciais que contribuem para a representação do referente "Rebolation". Essas representações são diferentes, pois apresentam distintas "intenções argumentativas" em cada um dos textos.

Chamo a atenção para o fato de que Cavalcante et al. (2014, p. 30) falam em "intenções argumentativas", termo que nos remete a pensar em inferências pragmáticas, significações explícitas e implícitas, viés este que justifica a nossa visão sobre os dêiticos como elementos semântico-discursivos e também pragmáticos. Aqui, vamos nos ater, predominantemente, às questões semântico-discursivas.

O enunciado 1 é um verbete de uma enciclopédia virtual e tem função informativa. Nele, o objeto de discurso "Rebolation" é aparentemente apresentado de forma neutra, como uma canção, um *single*. Essas expressões, chamadas por Cavalcante de referenciais, possuem função argumentativa e são supostamente imparciais ou neutras, como se não houvesse nenhuma intenção avaliativa por parte do locutor.

No entanto, no enunciado 2,[14] observamos uma "intenção explícita de valorizar o grupo Parangolé". Vislumbramos, nesse caso, uma perspectiva de exaltar a música, de acordo com as seguintes expressões destacadas: "o sucesso do carnaval" e "música do carnaval".

Por outro lado, no enunciado 3, constatamos outra mudança de perspectiva da realidade. Passa-se de um momento de exaltação a um estado de crítica sobre o "alarde em torno de um suposto sucesso do 'Rebolation' na Europa". Nesse caso, as expressões que destacam a mudança de intenção são: "cocô pátrio", "uma bobagem sem nexo" e "uma brincadeira tola". Essa mudança de propósito argumentativo demonstra a instabilidade da realidade, no sentido de que ela "não está disponível para ser expressa de forma lógica e objetiva pela linguagem. Ao contrário, os objetos do mundo são sempre interpretados" (Cavalcante et al., 2014, p. 31).

---

[13] Referente aqui é utilizado para o termo em destaque e referência/referenciação para o processo.

[14] Disponível em: <www.alagoinhasnoticias.com.br/festas-a-eventos/1820-robolation-invade--a-telinha.html>. Acesso em: 15 ago. 2018.

Cavalcante chama essa interpretação do propósito argumentativo de "recategorização referencial", que, para a autora, é algo inerente ao processo referencial e acontece "estando ou não explicitada nas expressões referenciais dentro de um mesmo texto e é perceptível por diversos indícios contextuais" (p. 32).

Reforço que essa atividade discursiva da recategorização eleva o referente à condição de objeto do discurso elaborado e não à mera representação de coisas do mundo. Observo também que fazer referência a algo ou a alguém implica em como usamos as palavras levando-se em consideração um ponto de vista semântico-discursivo e pragmático, uma vez que, no meu entendimento, envolve não apenas sentido e significado, mas também realidades sociais diversas.

Para Koch (2005) e Marcuschi (2008), essa atividade de recategorização pode ser denominada "discursivização" ou "textualização". Nela, observamos mais uma vez que a representação do mundo por meio da linguagem "não consiste em um simples processo de elaboração de informações, mas um processo de (re)construção do próprio real" (Koch, 2005, p. 33). Na visão desses autores, a realidade é construída, mantida e alterada "não apenas pela forma como nomeamos o mundo, mas, acima de tudo, pela forma como, sociocognitivamente, interagimos com ele" (idem).

Sob esse paradigma de construção de sentidos, a referência passa pela maneira como interpretamos e interagimos com o que está a nossa volta, não apenas por meio dos aspectos físicos, mas também no âmbito sociocultural, considerando o que uma parte dos autores chama de referenciação.[15]

Essa atividade desenvolvida pelo processo de referenciação pode ser realizada por elementos exofóricos, os dêiticos. Dessa forma, procurarei descrever alguns conceitos que, pelo menos, representam um entendimento predominante entre os teóricos aqui estudados e referenciados, confirmando a tendência, cada vez mais crescente, de estudos sobre a temática referência exofórica ou dêitica.

---

[15] Considera-se aqui referenciação conforme a tratam, entre outros, Mondada e Dubois (2003) e Koch e Marcuschi (1998), como "um processo realizado **negocialmente** no discurso e que resulta na **construção de referentes**, ou seja, como uma atividade discursiva de tal modo que os referentes passam a ser objetos do discurso e não realidades independentes" (Giering; Souza, 2013, p. 211).

Convém lembrar que, em relação ao termo referenciação, o próprio Marcuschi o usa, em sua obra *Produção textual*, do seguinte modo: "Vejamos algo sobre a **referenciação** exofórica e endofórica" (2008, p. 110). Nesse sentido, também Cavalcante, em sua obra intitulada *Os sentidos do texto* (2013, p. 127), utiliza o termo referenciação para tratar da dêixis, quando assim se expressa: "Além dos processos referenciais de retomada, existe outro tipo de **referenciação** conhecido como dêixis".

Quando o contexto o exigir, utilizarei, por questão didática, nesta obra, o termo *referência*, seja exofórica ou endofórica, seguindo assim a maioria dos autores consultados.

Nesse percurso, entendo que a linguagem não é um espelho que reflete diretamente a realidade, mas, por meio de escolhas linguísticas, os sujeitos sociais representam, em seus textos, atitudes, crenças, valores, pontos de vista, ideias em relação ao mundo, mesmo que não signifiquem a realidade.

Sem pretensão de esgotar o assunto, essas foram algumas considerações teóricas sobre a relação entre referência e referenciação.

2.3 Referência exofórica: uma conceituação

Começo esta parte me acostando a Marcuschi, que traz à baila das discussões a questão da referência pronominal, colocando os pronomes (a classe mais genérica dos nomes) como um "fenômeno central, como fator de organização textual" (2008, p. 108). O autor apresenta uma visão clássica de referência pronominal classificando-a em "endófora" e "exófora". Para ele, a endófora tem a sua correferência resolvida na iminência contextual, enquanto a exófora faz referência a um elemento contextual, externo ao texto.

Na figura 1, a referência endofórica ocorre, segundo o autor, quando a correferência é resolvida na iminência contextual,[16] ou seja, faz referência a entidades recobráveis no interior do texto e subdivide-se em anáfora (retrospectiva, pois retoma entidades já introduzidas anteriormente no texto) e catáfora (prospectiva, pois projeta expressões correferentes situadas mais adiante na porção textual analisada).

---

[16] Podendo ser um dos tipos de referência endofórica: anáfora ou catáfora.

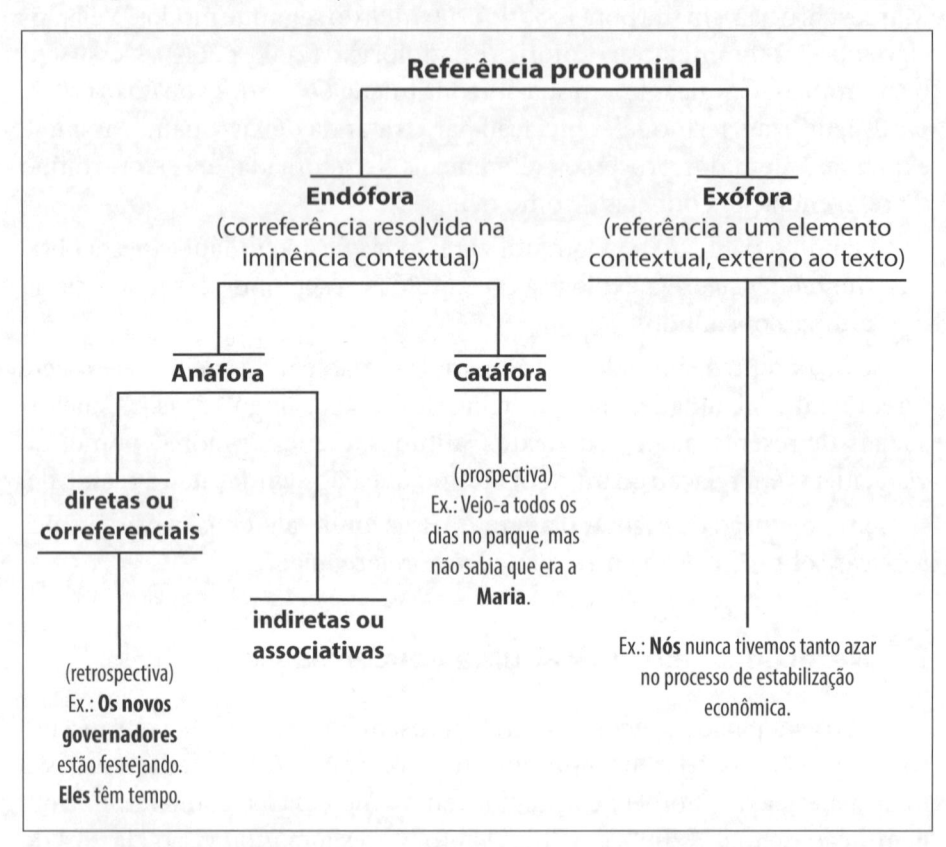

Figura 1. Organização pronominal textual de acordo com a visão clássica

```
                        Referência pronominal
                       /                      \
              Endófora                         Exófora
   (correferência resolvida na      (referência a um elemento
       iminência contextual)        contextual, externo ao texto)
         /          \
    Anáfora        Catáfora
    /    \
diretas ou           (prospectiva)
correferenciais      Ex.: Vejo-a todos os
                     dias no parque, mas
         indiretas ou    não sabia que era a
         associativas              Maria.

(retrospectiva)                Ex.: Nós nunca tivemos tanto azar
Ex.: Os novos                     no processo de estabilização
governadores                              econômica.
estão festejando.
Eles têm tempo.
```

Relembrando, Marcuschi diz que as anáforas se referem a entidades já introduzidas e que são retomadas depois por expressões correferenciais[17] (anáforas diretas) ou associativas (anáforas indiretas). Mais adiante exemplificaremos esses tipos de anáforas.

Por outro lado, as catáforas são prospectivas, pois projetam expressões subsequentes, ou seja, antecipam referentes que ocorrerão mais à frente no texto. Embora menos frequente que o anafórico, o mecanismo catafórico muito contribui para a organização, a coesão e a coerência textuais.

---

[17] Para Marcuschi (2008, p. 6), "o fenômeno de correferência que ocorre na linguagem natural consiste em duas ou mais expressões de um texto se referirem a uma mesma entidade do discurso. Caso uma entidade seja referenciada pela primeira vez em um texto, a expressão que a descreve é dita nova no discurso. Quando tal entidade é retomada, a expressão que a descreve é dita anafórica, e a expressão anterior é considerada seu antecedente".

Vejamos os enunciados a seguir:

> **ENUNCIADO 4**
>
> São sobretudo **eles** que não têm o direito de receber dos tribunais o remédio efetivo para os atos que violam dos seus direitos. **Eles** morrem à míngua. **Os infelizes** sofrem a mais brutal desigualdade. **Os pobres** continuam sofrendo com a injustiça (extraído de uma SJC).

> **ENUNCIADO 5**
>
> Ante o exposto, julgo parcialmente procedentes os pedidos, a fim de: a) confirmando a decisão liminar, anular a autorização de liberação comercial do milho geneticamente modificado denominado Liberty Link, constante do Parecer Técnico nº 987/2007, proferida pela CTNBio nos autos do processo administrativo nº 01200.005154/1998-36, no que pertine às **regiões Norte e Nordeste** do Brasil, impedindo-se, assim, que seja implementada em **referidas regiões** enquanto não realizados estudos que permitam à CTNBio convalidar seu entendimento quanto à viabilidade de liberação nos biomas encontrados **nas mesmas**, prevendo as medidas de segurança e restrições de uso que atendam às **suas** particularidades.

Podemos verificar no enunciado 4 a ocorrência de catáfora (prospectiva) e no enunciado 5 a presença de anáfora (retrospectiva). Em 4, as palavras e expressões grifadas "eles", "os infelizes", antecipam o referente comum "Os pobres". Em 5, as palavras e expressões "suas", "nas mesmas", "referidas regiões" retomam a expressão correferente que antecede "regiões Norte e Nordeste". Nos dois casos encontramos referências endofóricas que contribuem sobremaneira para a coesão e coerência textual.

O segundo tipo de referência é a pronominal exófora, ou exofórica, pois faz referência a um elemento contextual externo ao texto. A posição que Marcuschi assume e com a qual comungamos é que:

> [...] há elementos que, na falta de uma expressão melhor, chamamos de "externos ao texto" e recuperáveis na situação diretamente (particularmente na oralidade) ou por aspectos cognitivos, conhecimento partilhado etc., mas não pela via de expressões correferentes "dentro do texto". Em geral, o uso de

pronomes na 1ª e 2ª pessoas no início do texto é de natureza **inerentemente exofórica** (Marcuschi, 2008, p. 110).

Na visão do autor, a referência exofórica "comprova a reciprocidade da interação entre o uso da linguagem e a situação desse uso, que atualiza as estratégias de recepção" (idem). Entendo que a referência exofórica é aquela que se aplica à recuperação de entidades situadas fora do texto, e não diretamente a ele.

Espíndola chama a atenção para a existência de elementos linguísticos que "[...] têm em comum o fato de fazerem referência a 'entidades' que estão *externas* ao texto em que aparecem" (2012, p. 13). Para a autora, esses elementos fazem referência a "informações da enunciação" que precisam ser recuperadas a fim de que:

> [...] se possa fazer adequadamente uma leitura. Esses elementos são considerados elementos vazios de referência e, por isso, obrigatoriamente precisam ter a referência preenchida a partir de informações do contexto (utilizado aqui como sinônimo de enunciação).

Para Marcuschi, embora algumas definições sejam claras, a realização textual da pronominalização é problemática, porque pode criar ambiguidades, principalmente quando existem várias possibilidades de referência.

Extraímos de Espíndola (2012, pp. 14-16) dois enunciados que podem apresentar leituras "problemáticas", segundo a autora, inclusive com mal-entendidos se "os contextos em que foram produzidos não forem recuperados".

Quadro 1. Textos com leituras "problemáticas"

ENUNCIADOS	PROBLEMAS
Modalidade falada: "Escute, eu não vim até **aqui** para falar com **você** mas com **você**, e não sobre **ele** mas sobre **ele**".	O primeiro "você" não tem o mesmo referente que o segundo. Só se entende essa conversa se houver uma reconstrução do contexto. O advérbio "aqui" tem significação fixa, mas referência variável. Não se sabe, nesse texto, a que espaço o "aqui" faz referência.

(continua)

(continuação)

ENUNCIADOS	PROBLEMAS
Modalidade escrita (um bilhete pendurado em um apartamento de um condômino): "Esperei **você aqui até agora**, então volto **amanhã**".	Há duas possibilidades de leitura. Na primeira, o interlocutor chegou em sua casa logo após o bilhete ter sido deixado. Nesse caso, ele saberá que o "agora" foi recente e que o "amanhã" será realmente o dia seguinte. A segunda leitura é a de que o bilhete foi deixado pela manhã e o interlocutor só o recebeu no dia seguinte.

O quadro 1 demonstra que os enunciados, para serem lidos e entendidos, precisam da reconstrução do contexto enunciativo, pois, conforme Espíndola, os elementos "que marcam as pessoas do discurso, o tempo e o lugar da enunciação estão vazios de referência e poderão ser preenchidos de acordo com o conhecimento prévio de cada leitor" (2012, p. 16).

Marcuschi, quando diz que, em geral, o uso de pronomes na 1ª e na 2ª pessoas no início do texto é de natureza inerentemente exofórica, lembra que os de 3ª pessoa podem ser catafóricos. Para ele, a referência exofórica "comprova a reciprocidade da interação entre o uso da linguagem e a situação desse uso, que atualiza as estratégias de recepção [interlocução] [...] A exófora depende do contexto" (2008, p. 110).

Espíndola, no entanto, afirma que, em alguns contextos, o pronome "ele" funciona como dêitico quando, por exemplo, pode ser substituído pelos demonstrativos "esse" ou "este", mantendo, no contexto, o mesmo sentido de apontar para "algo veiculado pela expressão 'sobre ele'" (2012, p. 15). Essa posição, segundo a autora, contraria a de alguns linguistas, como Marcuschi, anteriormente citado.

Casos de referência exofórica institucionalizados, segundo Halliday e Hasan (1976), são mencionados na obra de Marcuschi (2008). Vejamos o quadro 2, que traz apenas dêixis de pessoa devido à característica exofórica pronominal.

Quadro 2. Casos institucionalizados de uso exofórico em Halliday e Hasan (1976, p. 53)

(i) eu, você, a gente, se: usados no discurso para referir um indivíduo humano qualquer **Exemplos: Como tu sabes...; Como você sabe...; Como a gente sabe...; Como se sabe...**
(ii) nós: usado quando o falante subsume, além de si, todos os outros **Exemplo: Nós não podemos esquecer que...**
(iii) eles: indica pessoas não especificadas **Exemplo: Eles devem saber quem foi fazer compras hoje.**

Green (2009) traz um interessante enunciado explicativo para a referência exofórica, que vem somar à reflexão em andamento. Vejamos:

ENUNCIADO 6

Fred came into the room. He sat down.

(Fred entrou na sala. Ele se sentou.)

Para o autor, no enunciado 6, essa proposição analisada por meio de uma abordagem tradicional pode associar o pronome *he* (ele, em inglês) como correferente de Fred, tornando a referenciação pronominal puramente linguística e totalmente dependente de seu antecedente, sendo nesse caso reconhecida a presença de uma anáfora. Contudo, o enunciado 6, numa abordagem mais pragmática, leva o interlocutor a visualizar o pronome "ele" referindo-se a outra pessoa que não fosse Fred e, nessa visão, "a referência pronominal se torna mais próxima e mais similar à referência dêitica ou exofórica" (Green, 2009, p. 180).

Entendo que, na segunda situação, encontramos uma dificuldade em saber qual pessoa está sendo referida e de qual maneira é feita a referência (tempo, espaço). Nesse segundo caso, denominado pelo autor "uma abordagem mais pragmática", existe a necessidade de se explicitar o contexto enunciativo. O pronome "ele" pode estar se referindo a várias pessoas (localizadas dentro ou fora da situação interlocutiva). Isso dependerá de um contexto. Na minha visão, trata-se de um contraponto linguagem-mundo necessário para estabelecer uma relação equilibrada.

Charolles (2002) demonstra que, em algumas situações interlocutivas, é preciso que se promova uma recuperação de pronomes, remetendo-os a um ou a alguns indivíduos que foram citados anteriormente ou que são conhecidos dos interlocutores.

Assim, constato e observo que parte da teoria se reporta à referência exofórica como elementos que, segundo Marcuschi, na falta de uma expressão melhor, são chamados de "externos ao texto" e recuperáveis na situação diretamente, em particular na oralidade, mas também em textos escritos "ou por aspectos cognitivos, conhecimentos partilhados etc." (2008, p. 110).

3

A DÊIXIS

Neste capítulo, traço um panorama sobre a dêixis, no qual podemos discutir e tentar responder em parte à questão "O que é a dêixis?". Inicialmente pretendo destacar os primeiros estudos sobre o fenômeno. Em seguida, apresentarei as ideias sobre a dêixis, registradas em pesquisas pregressas, e seguirei demonstrando algumas definições e conceitos. O suporte teórico utilizado nesta parte do livro é embasado, entre outros autores, em Lahud (1979), Cervoni (1989), Benveniste (2005 [1979]), Abraçado (2006) e Levinson (2007 [1983]).

Ressalto, ainda, significados "indiciais" e "simbólicos" dos termos dêiticos e verifico estudos que fazem uma distinção entre esses significados. Posso destacar que o significado simbólico de um termo dêitico é o seu aspecto semântico, enquanto o significado indicial é o seu aspecto pragmático.

Na segunda seção deste capítulo, descrevo as cinco categorias da dêixis, destacando de forma especial a dêixis discursiva (DD), com a qual trabalho na análise das SJCs. Encerro a seção descrevendo as funções elencadas por Cavalcante (2000b), Duarte (2002b) e Catunda (2009).

Nas seções seguintes deste capítulo, descrevo, respectivamente, aspectos relativos à relação dêixis discursiva/anáfora (sem adentrar mais profundamente nas anáforas, por não ser objetivo deste livro) e faço uma reflexão sobre a dêixis como fenômeno híbrido, pertencente tanto à semântica quanto à pragmática.

3.1 Definição e gênese da dêixis

O primeiro teórico a dar importância ao fenômeno da dêixis no funcionamento da linguagem foi Karl Bühler, em 1934 (ver Abraçado, 2006). Bühler lembra o pensamento, já exposto neste estudo, de que na linguagem verbal existem aqueles três tipos de campos de mostração: o situacional, o textual e o imaginário. Inserida nesse contexto, a natureza da dêixis corresponde ao seu sentido etimológico, como veremos adiante, e serve para mostrar, apontar, indicar e assinalar realidades nesse campo mostrativo.

Nesse cenário, temos a seguinte definição de dêixis, de acordo com os ensinamentos de Bühler (em Guimarães, 2007, p. 56):

> Os dêiticos são sinais que designam mostrando e não conceituando. Os pronomes pessoais e as desinências verbais indicam os participantes do ato do discurso. Os pronomes demonstrativos, certas locuções prepositivas e adverbiais, bem como os advérbios de tempo, referenciam o momento da enunciação, podendo indicar simultaneidade, anterioridade ou posterioridade. Assim; este, agora, hoje, neste momento (presente); ultimamente, recentemente, ontem, há alguns dias, antes de (pretérito); de agora em diante, no próximo ano, depois de (futuro).

Lahud (1979), que, em suas investigações sobre a dêixis, nos interpela sobre "O que é a dêixis?", entende que esse questionamento nos leva a uma reflexão cuidadosa e a uma investigação cautelosa desse fenômeno. Segundo o autor, a dêixis é obra do pensamento contemporâneo "embora o termo 'dêiticos' remonte aos gregos" (p. 47).

A natureza da dêixis, nos estudos de Lahud, é caracterizada por englobar os signos pessoais, temporais e demonstrativos, o que tornou possível às "descrições modernas da linguagem a inclusão dessas categorias numa única e mesma classe, a dos dêiticos" (p. 50). O autor faz essas considerações porque vê o homem como um "animal semiótico", ou seja, que tem a possibilidade de se comunicar por meio de signos e não apenas por sinais. Para ele, a dêixis é o "signo que representa ou aponta ou, ainda, indica aquele que fala" (p. 97).

Nesses termos, o autor completa, lembrando Benveniste:

> [...] os dêiticos são signos que não podem ser convenientemente descritos sem referência ao *emprego* que deles é feito pelo sujeito falante: em outras

palavras, para ele, não se trata simplesmente de signos que "descrevem" por si próprios uma relação entre o enunciado e a enunciação, mas de elementos cuja função é permitir ao *sujeito que os enuncia*, e no momento em que os enuncia, de *instaurar essa relação*, de vincular seu enunciado ao seu próprio "dizer" (p. 114).

Essa permissão "ao sujeito que os enuncia" de instaurar a relação entre o enunciado e a enunciação é vislumbrada por Benveniste (2005 [1979]) quando carreia ao conceito de dêixis um teor de subjetividade enunciativa e, nessa concepção, a dêixis consegue organizar entre si pessoa, tempo e espaço, situando esses elementos em um contexto enunciativo específico. Vejamos o pensamento benvenistiano sobre esse aspecto:

> Assim, pois, é ao mesmo tempo original e fundamental o fato de que essas formas "pronominais" não remetem à "realidade" nem a posições "objetivas" no espaço e no tempo, mas à enunciação, cada vez única, que as contêm, e reflitam assim o seu próprio emprego. A importância da sua função se comparará à natureza do problema que servem para resolver, e que não é senão o da comunicação intersubjetiva (Benveniste, 2005, p. 18).

Ainda, sobre o fenômeno da dêixis, Abraçado recorda:

> Apesar de ter sido aplicada à descrição das línguas desde a Antiguidade (como termo metalinguístico, *dêixis* foi usado, pela primeira vez, pelos gramáticos gregos), só muito mais tarde a noção de dêixis passou a ocupar o lugar que hoje lhe é atribuído na teorização linguística. Numa primeira acepção – próxima do seu sentido etimológico – dêixis tem o sentido de *indigitação, mostração*; usado no âmbito de descrição gramatical, o termo refere uma mostração de caráter verbal, o "gesto" verbal de apontar, chamando a atenção, por exemplo, para um elemento do contexto evidente pela sua proximidade (2006, p. 139).

Reforçando a conceituação da dêixis supracitada, Castilho (2012) contribui dizendo que a palavra grega *déiksis* é derivada do verbo grego *déiknymi*, que significa literalmente "mostração", o ato de mostrar, ostentar, apontar.

Ainda se tratando da questão de nomenclatura, lembro que, em algum momento desses estudos conceituais, os dêiticos são chamados de *embrayeurs*, termo francês que significa "embreagens",[18] considerando que esse mecanismo de embreagens consiste em uma categoria linguística que liga o significado ao contexto de produção da situação interlocutiva, fazendo com que essa classe de palavras varie de acordo com a situação em que tais palavras são empregadas. Essa variação levou alguns estudiosos[19] a usarem para os dêiticos o termo *shifters* (termo originado do verbo inglês *shift*, que significa "mudar, trocar").

Por sua vez, Levinson (2007 [1983]) denomina a dêixis, como preferem os filósofos, "expressões indiciais" ou "dêiticos" e considera que esse fenômeno linguístico tem como protótipo uma variedade de traços gramaticais ligados "diretamente às circunstâncias da enunciação", como o uso dos demonstrativos, dos pronomes de primeira e segunda pessoa, do tempo verbal e dos advérbios de tempo e lugar específicos, como "aqui" e "agora".

Para explicitar esses primeiros entendimentos conceituais do fenômeno da dêixis, vejamos o enunciado a seguir, retirado de um texto lírico:[20]

> **ENUNCIADO 7**
>
> Mas quando sobe à minha ideia,
> que **tu** ficaste **lá nessa aldeia**,
> de mil cuidados e mágoa cheia,
> das minhas paixões não sou senhor.
> **Eu** já sofro a viva dor.

Nesse enunciado, encontramos elementos linguísticos variados, como pronomes de primeira e segunda pessoa, advérbio de lugar e demonstrativos, expressos e respectivamente grifados pelas palavras "eu", "tu", "lá" e "nessa aldeia", denominados elementos dêiticos, nessa relação de tempo, pessoa e espaço. O "eu" e o "tu" são característicos e prototípicos de uma categoria de dêixis: a dêixis de pessoa (DP);[21] o "lá", dando coordenadas

---

[18] Ducrot; Todorov, 1998, p. 232.
[19] Jespersen, citado por Jakobson, 1957.
[20] GONZAGA, Tomás Antônio. *Marília de Dirceu*. Biografia e introdução por M. Cavalcanti Proença. 31. ed. Rio de Janeiro: Ediouro, 2002. p. 76.
[21] Tratamos dessa categoria de dêixis e de outras, como a dêixis de espaço (DE), na seção 3.2 deste trabalho.

sobre o espaço; e o "nessa aldeia", indicando e apontando o espaço ou a localização, também são caracterizadores de outra categoria de dêixis: a dêixis de espaço (DE). Mais adiante, quando abordar as categorias dêiticas, explicarei melhor o funcionamento de tais elementos.

Ainda de acordo com Levinson (2007 [1983]):

> Se há um modo pelo qual a relação entre língua e contexto se reflete nas estruturas das próprias línguas de maneira mais evidente, esse fenômeno é a dêixis. O termo é emprestado da palavra grega que significa apontar ou indicar, e tem como protótipos ou exemplares focais o uso dos demonstrativos, dos pronomes de primeira e de segunda pessoa, tempo verbal, dos advérbios de tempo e lugar específicos como *now*, "agora", e *here*, "aqui", e uma variedade de outros traços gramaticais ligados diretamente às circunstâncias da enunciação (p. 65).

Nesse sentido, Levinson defende também que a dêixis diz respeito às maneiras "pelas quais as línguas codificam ou gramaticalizam traços do contexto da enunciação ou do evento de fala", chamando a atenção para o fato de que as enunciações dependem da análise do contexto no qual são proferidas.

Acostando-se à presente preocupação de conceituarmos a dêixis, trago Fillmore (1975, p. 38), que fala sobre a importância da informação dêitica para a interpretação das enunciações. Para o autor, a dêixis aponta o que acontece quando, em algumas situações interlocutivas, aparecem aqueles "vazios" referenciais, e exemplifica com uma passagem na qual um "aviso" é deixado na "porta do escritório" de "alguém":

ENUNCIADO 8

Volto em duas horas.

Segundo o autor, em 8, pelo fato de não sabermos quando foi escrito o aviso, não saberemos "quando a pessoa que o escreveu retornará", ficando a interpretação e o entendimento da enunciação sob a dependência da análise do contexto da produção do enunciado. Encontramos em Levinson um reforço dessa perspectiva quando esse afirma que:

> [...] a dêixis diz respeito à codificação de muitos aspectos diferentes das circunstâncias que cercam a enunciação, dentro do próprio enunciado. As enunciações das línguas naturais, portanto, estão diretamente "ancoradas" em aspectos do contexto (2007 [1983], p. 67).

Com isso, mais uma vez, retomo a importância de aspectos do contexto para a informação dêitica. Para tal, Levinson apresenta uma "nova" nomenclatura expressa no termo "ancoradas",[22] termo esse tratado em trabalhos posteriores, entre eles os de Marcuschi, Koch e Cavalcante, já referenciados neste livro.

Outro aspecto conceitual e definidor do fenômeno da dêixis e que acho conveniente trazer à discussão é o que encontramos em Cervoni (1989, p. 24). Para esse autor, os dêiticos, que "fazem parte do que Jakobson denomina 'estruturas duplas', combinam duas funções: são símbolos-índices".

O autor francês considera a função de símbolos ou signos quando os dêiticos apresentam uma significação convencional, assim como outros signos da língua, e os considera índices quando funcionam como gestos através dos quais se designam as pessoas, os objetos, o lugar e tempo da interlocução. Para Cervoni, a dêixis tem origem no gestual, ou seja, na capacidade humana de dizer mostrando, indicando.

Os dêiticos considerados índices foram estudados como categorias linguísticas denominadas indiciais ou indexicais e interessaram diretamente aos estudos filosóficos da linguagem. Charles Peirce (ver Ponzio, 2009) diz que os indiciais desempenham um papel fundamental na linguagem verbal devido à conexão que promovem entre esse tipo de linguagem e seus referentes. Relembramos aqui a concepção tradicional de referência retratada, anteriormente, no primeiro capítulo deste livro.

A essa visão de Peirce, Bar-Hillel, citado por Armenguad, acrescenta que o "uso comunicativo da linguagem comum não pode dispensar as

---

[22] A expressão "ancoradas" origina-se da expressão "âncora", proposta, segundo Marcuschi (2008), por Schwarz (2000, p. 74). As "âncoras textuais" servem para ajudar na coesão e podem aparecer como antecedentes ou subsequentes correferencial [sic], ou outro referente distinto, ou até mesmo um conteúdo proposicional no cotexto que foi introduzido pela primeira vez no texto. As âncoras também podem ativar significados desencadeando inferências ou relações possíveis nem sempre lexicalizadas, mas situadas no texto. De acordo com Cavalcante (2000a), todo recurso referencial que remeta, no mínimo, a qualquer âncora do cotexto é, no fundo, anafórico.

expressões indexicais" (2006, p. 72). A autora francesa destaca que, entre os problemas que acompanham o uso de linguagem indexical:

> [...] o mais importante é, sem dúvida, este: o contexto pragmático que é conhecido pelo produtor de uma expressão e que não é formulado explicitamente, mas tacitamente assumido como compreendido em todo ato de comunicação, pode não ser recebido da mesma maneira pelo receptor.

Nesse diapasão, Armengaud (2006, p. 77) segue o pensamento de Gochet e afirma que uma distinção sutil foi introduzida nos estudos da indexicalidade: "[...] a relação com o momento da fala é a indexicalidade; a relação com um ponto de avaliação distinto do presente é a pragmaticidade". Com isso, mais uma vez, encontro uma descrição da visão pragmática, que, em parte, junto com o aspecto semântico-argumentativo, observamos neste estudo.

Reportando-me agora aos significados indiciais e simbólicos dos termos dêiticos, verifico que estudos tradicionais[23] fazem uma distinção entre esses significados. "Pode-se dizer que o significado simbólico de um termo dêitico é o seu aspecto semântico, enquanto o significado indicial é o seu aspecto pragmático" (Green, 2009, p. 123).[24]

Nesse sentido, Levinson (2007 [1983], p. 78) destaca a existência de dois tipos de uso dêitico: o gestual e o simbólico. Essa tipologia já foi abordada por Cervoni (1989, p. 23) quando comentou sobre as duas funções dêiticas: símbolo e índice; a função símbolo quando os dêiticos apresentam uma função convencional como outros símbolos da língua e a função índice quando se apresentam como gestos que designam objetos.

Sobre os dêiticos gestual e simbólico, Espíndola (2012) afirma:

> O primeiro diz respeito aos usos que, para serem interpretados, necessitam da situação enunciativa; ou seja, adquirem sentido na situação de uso, são

---

[23] Green cita os estudos fregeanos sobre referência e sentido (não os abordaremos nesta obra). Indico para isso o artigo "Uma leitura extravagante da semântica fregeana", de Claudio F. Costa, publicado na revista *Dissertatio*, n. 33, 2011, p. 275-297. Disponível em: <www2.ufpel.edu.br/isp/dissertatio/revistas/33/11.pdf>. Acesso em: 4 set. 2018.

[24] "Deixis is much more easily subsumed under a pragmatic theory. Traditional accounts make a distinction between the indexical and symbolic meanings of deictic terms. The symbolic meaning of a deictic term might be said to be its semantic aspect, while the indexical meaning is its pragmatic aspect."

de uso exclusivo da enunciação. Nesse caso, há simultaneidade no tempo de codificação e no de recepção, caracterizando as interações face a face. [...] O uso dêitico simbólico, por outro lado, requer que o ouvinte/leitor recupere os dados contextuais enunciativos anteriores ao ato da escuta/leitura aos quais os dêiticos fazem referência (pp. 17-18).

Exemplifico essa situação retomando Espíndola (2012) e demonstrando os enunciados expostos no quadro 1.

Quadro 1. Enunciados com dêiticos gestual e simbólico

ENUNCIADOS	CARACTERIZAÇÃO
Este é o verdadeiro bolo de milho, e não **este**!	Esse é um exemplo de texto que só será interpretado adequadamente se o interlocutor estiver no momento enunciativo ou se puder visualizar esse momento, acompanhando com o olhar para onde o locutor está apontando, pois o pronome demonstrativo "este" está sendo utilizado para selecionar objetos, apontando tanto para o bolo que é de milho quanto para o que não é.
Esta cidade é uma das mais verdes do mundo.	O uso dêitico simbólico requer que o ouvinte/leitor recupere os dados contextuais enunciativos anteriores ao ato da escuta/leitura aos quais os dêiticos fazem referência.

Depois desse caminho traçado para as definições da dêixis, chego a outros entendimentos sobre o fenômeno. Para Cavalcante, as "expressões referenciais dêiticas tanto podem introduzir objetos de discurso como podem retomá-los, assim como acontece, respectivamente, com as introduções referenciais[25] e com as anáforas". Diz a autora:

---

[25] As introduções referenciais fazem parte do processo referencial juntamente com anáforas e com a dêixis. A introdução referencial ocorre quando um "objeto" até então não apresentado é introduzido no texto sem que haja qualquer elemento do discurso em que ele esteja "ancorado" anteriormente.

O que caracteriza um dêitico não é o fato de ele poder constituir uma introdução referencial ou poder compor uma retomada anafórica. O que define um dêitico é outra propriedade: a de só podermos identificar a entidade a que ele se refere se soubermos, mais ou menos, quem está enunciando a expressão dêitica e o local ou o tempo em que esse enunciador se encontra (2013, p. 127).

Temos, então, consoante o entendimento de Cavalcante, que nos casos de dêixis "a expressão referencial remete a um referente que não se acha no cotexto, mas cuja imagem pode ser divisada no tempo/espaço real de fala, ou exige que o interlocutor pressuponha quem é o enunciador e quando ou onde ele se localiza".

Sobre isso, trago os enunciados 9, 10 e 11 (retirados de Cavalcante et al., 2014, pp. 86-93):

ENUNCIADO 9

Outra vez, **eu** tive que fugir, **eu** tive que correr, pra não **me** entregar/ As loucuras que **me** levam até **você**, me fazem esquecer que **eu** não posso chorar.

Em 9, temos a dêixis pessoal, em que a referência dêitica ser plenamente compreendida depende sempre de se conhecer a situação de interlocução. Os dêiticos "eu" e "você" representam os participantes efetivos da situação de comunicação.

ENUNCIADO 10

O referendo de secessão da Crimeia, na Ucrânia, é ilegal e ilegítimo, e seu resultado não será reconhecido, disseram em comunicado as principais autoridades da União Europeia **neste domingo**.

ENUNCIADO 11

— Onde foi que você viu o carro pela última vez?
— **Foi aqui mesmo, na pontinha dessa chave...**

No enunciado 10, encontramos a dêixis temporal, caracterizada pela expressão dêitica "neste domingo". O leitor tem que tomar como ponto de apoio essa referência. Na interlocução exemplificada em 11, vislumbramos um caso de dêixis espacial, trazendo noções de proximidade ou distanciamento. A expressão "aqui mesmo" demonstra a proximidade do locutor. As expressões referenciais dêiticas, para serem reconhecidas, segundo Cavalcante, exigem que se saiba quem fala, com quem se fala e onde e quando se passa a interação.

Diante dessa perspectiva, passaremos, nas páginas seguintes, a enumerar os tipos de dêiticos abordados por alguns autores, desde os mais clássicos até outros mais recentes, com atenção especial para o tipo dêixis discursiva (DD), quando faremos uma abordagem em relação aos usos encontrados nos trabalhos de Cavalcante (2000b), Duarte (2002a) e Catunda (2009), informando ainda que esses trabalhos têm suporte teórico nos estudos de Fillmore (1971), Lyons (1979), Lahud (1979), Levinson (1983), Benveniste (1989), Marcuschi e Calixto (1997) e Koch (1997).

3.2 Categorias dos dêiticos

Abordo aqui as cinco categorias da dêixis, destacando a forma dêixis discursiva (DD) por ser o tipo evidenciado nesta obra.

Levinson (2007 [1983], p. 74) cita como "os primeiros e mais importantes trabalhos linguísticos" na área da dêixis os estudos de Bühler (1934), Fillmore (1971) e Lyons (1968), os quais destacam como categorias tradicionais da dêixis os tipos: de pessoa (DP); de lugar ou espacial (DE); e de tempo (DT), devendo se acrescentar nessa proposta a dêixis de discurso[26] e a dêixis social, encontrada em Lyons (1968) e em Fillmore (1971). Vejamos o quadro 2.

---

[26] Cf. Cavalcante, 2000a, p. 47-56 e Cavalcante, 2002.

Quadro 2. Categorias de dêixis

CATEGORIAS	ELEMENTOS
Dêixis de pessoa (DP)	Papel dos participantes no ato da interlocução: **eu**, **tu**, **ele**, **nós** etc.
Dêixis de tempo (DT)	Refere-se aos pontos temporais e aos períodos relativos ao tempo: **agora**, **hoje**, **ontem**, **amanhã**, **sempre** etc.
Dêixis de lugar ou espacial (DE)	Localização dos participantes da interlocução: **aqui**, **ali**, **fora**, **dentro**, **atrás**, **em cima**, **sobre**, **neste ponto** etc.
Dêixis social (DS)	Pronomes pessoais: **eu** e **tu** (**você**); pronomes de tratamento (**senhor(a)**, **senhorita**); formas de reverência ou cerimoniosas introduzidas pelos possessivos **vossa** ou **sua**.
Dêixis discursiva ou de texto (DD)	As mesmas expressões dêiticas de tempo podem ser metaforicamente empregadas como dêiticos discursivos, numa referência à disposição das unidades gráficas do texto. Qualquer ponto do discurso pode ser considerado como ocorrendo antes, durante ou depois. Pronomes demonstrativos, tanto na função substantiva como na adjetiva, e certas palavras em função adjetiva com o mesmo valor demonstrativo, como **seguinte**, **próxima**, **anterior**, **inicial** etc. As expressões **acima**, **abaixo**, **aqui**, **a seguir**, originalmente consideradas dêiticos de espaço, além dos pronomes demonstrativos, os quais podem se reportar tanto a referentes pontuais como a entidades não pontuais e que podem retomar essencialmente a forma ou o conteúdo proposicional.

Fonte: Levinson (2007 [1983]); Espíndola (2012, p. 30).

Espíndola (2012) adota a classificação do quadro 2, demonstrando quais elementos linguísticos atualizam informações "relativas às pessoas, ao espaço, ao tempo, às relações sociais de enunciação e quais e quando alguns elementos linguísticos apontam para um espaço que não é físico, mas é o espaço textual/discursivo" (p. 22). A autora também faz referência aos estudos de Fillmore (1971, p. 39), o qual afirma que os elementos dêiticos:

> [...] incluem [...] a identidade dos interlocutores na situação de comunicação, coberta pelo termo *dêixis de pessoa*; o lugar ou lugares nos quais esses indivíduos estão localizados, para os quais temos o termo *dêixis de lugar*; o tempo em que se dá o ato comunicativo – para isto, precisamos distinguir o "encoding time", o tempo no qual a mensagem é enviada, do "decoding time", o tempo no qual a mensagem é recebida – os dois juntos estão sob o título de *dêixis de tempo*; a matriz de material linguístico de que faz parte o enunciado, isto é, as partes precedentes e consequentes do discurso, a que nós nos referimos como *dêixis discursiva*; e os relacionamentos sociais por parte dos participantes da conversação, que determinam, por exemplo, a escolha dos níveis discursivos honoríficos ou polidos, ou íntimos ou insultantes etc., que podemos agrupar todos sob o termo *dêixis social*.

De acordo com Oliveira (2008), a dêixis social se reflete na gramática por meio dos pronomes pessoais. Nesse sentido, ela revela a relação social entre os participantes do discurso. Já a dêixis discursiva ou textual "diz respeito ao uso de expressões em um enunciado para se referir a um trecho do discurso dentro do qual aquele enunciado se encontra" (p. 124). A dêixis espacial e temporal é realizada por advérbios e expressões adverbiais de lugar e de tempo, respectivamente.

Sendo assim, referencio as principais categorias de dêixis encontradas na literatura linguística e que já estão devidamente consolidadas. Passo em seguida a observar as características dos tipos de dêixis abordados até aqui.

3.2.1 Dêixis de pessoa (DP)

A dêixis de pessoa, de acordo com Espíndola, "corresponde às formas linguístico-discursivas que marcam a pessoa ou o papel dos participantes em uma interação" (2012, p. 22). Para Lyons, a categoria de pessoa se define com clareza "pela noção de papel. A primeira pessoa é usada pelo falante, ao referir-se a si mesmo como sujeito do discurso. A segunda pessoa é usada por ele para referir-se ao ouvinte" (1979, p. 291).

Essa "noção de papel" defendida por Lyons é confirmada em Levinson quando o autor diz que, embora a dêixis de pessoa seja refletida diretamente nas categorias gramaticais de pessoa, pode-se argumentar que precisamos desenvolver uma "estrutura pragmática, independente, de possíveis papéis dos participantes, para que possamos perceber como, e em que medida, esses papéis são gramaticalizados nas diferentes línguas" (2007 [1983], p. 74).

De acordo com Cervoni, convém destacar que "*eu* (ou outra forma de primeira pessoa) é o nome que o locutor se dá quando toma a si mesmo como objeto do discurso, quando é de si que ele fala" (1989, p. 25). E o *tu* (ou outra forma de segunda pessoa) "surge quando o locutor fala dele próprio à pessoa a quem se dirige". Assim, para o autor, o "eu" é, ao mesmo tempo, a pessoa que fala e a pessoa de quem se falou. Já o "tu" é a pessoa que ouve e pode também usar da palavra, bem como pode ser a pessoa de quem se falou.

Nesse sentido, temos como dêiticos prototípicos na dêixis de pessoa "eu" e "tu". Alguns elementos linguísticos que podem funcionar como dêiticos de pessoa são: os pronomes pessoais de primeira e segunda pessoa, como eu, tu, nós, vós, me, te, nos, vos; os determinantes e pronomes possessivos de primeira e segunda pessoa, como meu, teu, nosso, vosso; os sufixos flexionais de pessoa-número: cantas, cantamos; os vocativos; e até mesmo o pronome pessoal de terceira pessoa.

Tomemos por exemplo a seguinte situação comunicativa, emprestada e adaptada de Espíndola (2012, p. 22):

ENUNCIADO 12

— **Eu** fui ao cinema, e **você** aonde foi?
— **Fui** à praia.

No enunciado 12, o "eu" representa o locutor e pode ser atualizado instituindo o "você" como interlocutor.

Vejamos situações interlocutivas semelhantes:

ENUNCIADO 13

— **Eu** vou ao teatro ver *O auto da compadecida*, e **tu** aonde vais?
— **Vou** ao shopping. **Estou** com pressa.

Na interlocução 13, "eu" e "tu" são formas linguístico-discursivas que marcam a pessoa ou o papel dos participantes na interação.

Passo agora a demonstrar duas situações nas quais o locutor é atualizado pela primeira pessoa do plural "nós". Em primeiro plano, digo:

> **ENUNCIADO 14**
>
> **Vamos** ao cinema!

Em 14, sou eu o locutor e estou fazendo um convite ao interlocutor. Nessa situação, constata-se que o interlocutor está incluído na ação veiculada pelo enunciado; portanto, é um uso dêitico inclusivo.

Num segundo momento, falo:

> **ENUNCIADO 15**
>
> **Vamos** ao cinema!

Em 15, a oração pode se tratar do anúncio (informação) de um casal de namorados a um amigo do casal. Nesse caso "o interlocutor não faz parte do ato veiculado pelo enunciado; é um uso dêitico exclusivo" (Espíndola, 2012, p. 23).

Ainda conforme Espíndola, são encontrados exemplos do uso dêitico do pronome pessoal de primeira pessoa do plural "nós", como elemento linguístico-discursivo com a função de "dar credibilidade ao fato anunciado, à informação veiculada, aos resultados divulgados", fazendo com que o texto pareça ter como fonte uma equipe, como constatamos a seguir nos exemplos 16 e 17:

> **ENUNCIADO 16**
>
> **Apresentamos** os resultados da investigação com as Sentenças Cíveis.

> **ENUNCIADO 17**
>
> **Constatamos** nessa pesquisa que os elementos dêiticos são importantes para a coesão textual.

Nos enunciados anteriores, passa-se a impressão de que a pesquisa foi por uma equipe, ensejando assim uma maior credibilidade ao que foi anunciado.

Ainda na dêixis de pessoa (DP) encontramos o uso da locução "a gente" substituindo o pronome "nós", como podemos observar no enunciado a seguir:

> **ENUNCIADO 18**
>
> Amanhã **a gente** já retorna ao trabalho.

No caso 18, o uso de "a gente" substitui, em se tratando de sentido, o "nós". A expressão usada pode servir para fazer referência a um grupo de trabalhadores que estava em greve, a pessoas que estavam de férias do trabalho ou mesmo a outras situações nas quais seja possível o uso do pronome "nós".

Continuando o percurso teórico traçado por Espíndola, além dos pronomes pessoais e das desinências de pessoa presentes nos verbos, outras classes gramaticais "funcionam como formas de codificar a dêixis de pessoa em língua portuguesa" (2012, p. 26). São, para a autora, os pronomes de tratamento, "vocativo (nomes próprios, alguns dos termos que indicam parentesco e outros nomes) e, em alguns contextos, os possessivos, os demonstrativos e o pronome pessoal de terceira pessoa", como veremos nos próximos enunciados, 19 e 20.

> **ENUNCIADO 19**
>
> **Tia**, parabéns pelo seu aniversário! [parentesco]
> **Vossa Excelência** concede-me a permissão para me retirar deste recinto? [tratamento]

> **ENUNCIADO 20**
>
> **Ela** é a responsável pelo meu sucesso. [um filho apontando para a mãe]

Em 19, encontramos um nome, "Tia", e um pronome de tratamento, "Vossa Excelência", funcionando como interlocutores. Em 20, destacamos um pronome de terceira pessoa usado para se referir a uma pessoa (a mãe do falante) que, embora não funcione como falante ou destinatário, não está excluída do momento da interação comunicativa, codificando outro participante da situação comunicativa – o ouvinte.

Para Cavalcante et al., "nenhuma outra forma da língua é mais prototípica da dêixis de pessoa do que os pronomes pessoais. [...] qualquer expressão que se refira às pessoas que, de fato, participam do ato comunicativo (locutor e interlocutor) é, portanto, considerada uma ocorrência de dêixis pessoal" (2014, pp. 86-87).

3.2.2 Dêixis de tempo (DT)

A DT diz respeito à utilização do tempo como marco do momento da enunciação. A fim de se interpretar os sentidos de expressões como "hoje", "ontem", "amanhã" ou mesmo de tempos verbais, como "estudo", "estudei", "estudarei", devemos identificar previamente o momento da enunciação.

Para Cavalcante, os dêiticos temporais indicam ostensão, porque apontam para um determinado local ("lugar") e "fixam uma fronteira de tempo que toma por referência o posicionamento do *eu* falante no momento da comunicação".

Vejamos os enunciados trazidos por Cavalcante et al. (2014, p. 91):

> **ENUNCIADO 21**
>
> O referendo de secessão da Crimeia, na Ucrânia, é ilegal e ilegítimo, e seu resultado não será reconhecido, disseram em comunicado as principais autoridades da União Europeia **neste domingo**.

> [...] A península da Crimeia, de maioria étnica e língua russa e atualmente com um regime de república autônoma da Ucrânia, está sob controle de forças pró-Moscou desde 28 de fevereiro.[27]

No enunciado 21, segundo Cavalcante et al, o locutor do texto (uma notícia na internet) se apoia na certeza de que "o leitor tem que tomar como ponto de referência o dia em que a notícia foi enunciada e publicada". A expressão "neste domingo" está se referindo ao dia 16 de março de 2014, quando foi publicada aquela notícia. Existe uma remissão ao momento da fala (publicação do texto) e aí se encontra o "caráter dêitico" da expressão porque ela toma como ponto de referência o momento em que se encontra o locutor.

Nesse mesmo texto 21, a expressão "desde 28 de fevereiro" não é dêitica, porque "o referente que ela manifesta poderia ser identificado independentemente de se saber quando a notícia está sendo enunciada pelo locutor" (Cavalcante et al., 2014, p. 92).

Cavalcante traz outro enunciado que simula um discurso de uma dona de casa da década de 1950:

> **ENUNCIADO 22**
>
> Adorei a revista de **ontem** e os conselhos que dava. Um deles era: quando o marido chegar em casa, faça com que a noite seja dele. Nunca reclame que demorou a chegar ou foi jantar fora ou saiu para se divertir sem você. Em vez disso, tente entender seu mundo de tensão e pressão.

Nesse enunciado, Cavalcante explica que uma leitura feita por uma mulher sem se interessar em saber a época de sua publicação certamente trará

---

[27] Retirado de: Estados Unidos e Europa dizem não reconhecerem referendo na Crimeia. *UOL Notícias*. Publicado em 16 mar. 2014. Disponível em: <http://noticias.uol.com.br/internacional/ultimas-noticias/2014/03/16/EUA-e-europa-dizem-que-não-reconhecem-referendo-na-crimeia.htm?mobile>. Acesso em: 16 mar. 2014.

alguma confusão e insatisfação, pois ela consideraria a locutora (produtora do texto) como alguém submissa ao marido, o que seria inadmissível nos tempos modernos. Contudo, sabendo-se que se trata de uma simulação de uma época passada, a leitura, segundo a autora, "muda de rumo" e a coordenada dêitica temporal "ontem" fornece "âncora" necessária para uma compreensão melhor e mais pertinente do texto.

Benveniste (1989) nos apresenta duas noções de tempo: o tempo físico, que é um tempo variável, psíquico, medido por meio das sensações e emoções sentidas por cada pessoa; e o tempo cronológico, que é do tempo da sequência de acontecimentos no mundo onde se inclui a nossa vida. Com base nessas noções de tempo, acredito que o tempo na dêixis não se reduz ao tempo cronológico e que também não se prende à subjetividade do tempo físico. O discurso proferido pelo locutor passa a ser compartilhado pelo interlocutor e se, nessa interlocução, o locutor noticia algo do passado, esse acontecimento passa a ser também aceito ou não pelo interlocutor de acordo com as coordenadas dêiticas temporais expressas no texto.

Os advérbios de tempo são os elementos linguísticos, segundo Espíndola (2012, p. 34), que "mais comumente veiculam a ideia de tempo" e só funcionam como dêiticos temporais se for considerada a perspectiva do locutor no momento enunciativo. O protótipo por excelência é o advérbio "agora". Encontramos outros dêiticos que fazem referência ao momento da enunciação, como "ontem", "hoje", "amanhã", "antes", "depois" e "então".

O homem, historicamente, estabeleceu, em certos momentos, um ponto de referência que serve de parâmetro para a apreciação do tempo. Esse ponto funciona como um ponto "zero" que determina o início da contagem do tempo, como o nascimento de Jesus Cristo, que servirá para marcar acontecimentos antes e depois daquele referencial. Sobre isso dispõe Levinson (2007 [1983], p. 89):

> Sucintamente, porém, as bases para os sistemas de computar e medir o tempo na maioria das línguas parecem ser os ciclos naturais e proeminentes do dia e da noite, dos meses lunares, das estações e dos anos. Tais unidades podem ser usadas como medidas relativas a alguns pontos de interesse fixo (inclusive, crucialmente, o centro dêitico), ou podem ser usadas à maneira de um calendário para localizar acontecimentos no tempo absoluto relativamente a alguma *origo* absoluta ou, pelo menos, a alguma parte de cada ciclo natural designado como início desse ciclo (Fillmore, 1975). É com essas unidades, que podem funcionar ou não como um calendário, que a dêixis interage.

A partir dessas considerações, encontramos em Cervoni que, no estudo dos dêiticos, "é reservado um lugar importante para a questão do tempo da enunciação" (1989, p. 30). O autor também destaca as formas verbais do presente, do passado e do futuro. Os tempos não presentes (passado e futuro) são explicitados "somente como pontos vistos para trás ou para frente a partir do presente" (p. 75).

A prevalência do presente, segundo Benveniste (1989), deve-se à necessidade de organização do tempo a partir da instância e do momento do discurso.

Levinson (2007 [1983], p. 89) distingue o momento da enunciação, que ele chama de "tempo de codificação" ou "TC", do momento de recepção, chamado por ele de "tempo de recebimento" ou "TR". Na situação canônica da enunciação, "com a suposição do centro dêitico não marcado, pode-se supor que o TR é idêntico ao TC". Essa suposição é denominada por Lyons (1979, p. 685) simultaneidade dêitica.

Nessa perspectiva, Levinson diz que, quando há um desvio na situação simultânea, ocorrem problemas no uso de tempo dos verbos, dos advérbios e de outros elementos dêiticos temporais. Nesse caso, se decide pela permanência do centro dêitico no falante (TC) ou se o projeta para o interlocutor (TR).

Essa decisão, conforme Espíndola (2012, p. 35),

> [...] parece estar diretamente condicionada ao gênero a que pertence o texto que se está produzindo. Ao se fazer um relato de cujos acontecimentos faço parte, tenho a opção de escolher como centro dêitico o tempo de codificação [...], o tempo em que os acontecimentos narrados estão acontecendo – ou projetar o centro dêitico para o tempo do interlocutor.

E exemplifica:

ENUNCIADO 23
Escrevo esta carta enquanto "monitoro" o cozimento de um pudim.

> **ENUNCIADO 24**
>
> Escrevi esta carta enquanto "monitorava" o cozimento de um pudim.

Nos enunciados 23 e 24, ao relatar acontecimentos de que o próprio locutor participa, ele terá a opção de escolher como centro dêitico o tempo de codificação, o tempo em que os acontecimentos narrados estão acontecendo, ou projetar o centro dêitico para o tempo do interlocutor.

Oliveira (2008) nos traz um exemplo que demonstra a importância da dêixis para a produção dos sentidos e como a presença de um elemento dêitico temporal de uso frequente pode causar uma confusão.

O autor cita que um escritor experiente escreveu, certa vez, em uma coluna de jornal, o seguinte texto:

> **ENUNCIADO 25**
>
> Os advogados baianos estão literalmente ouriçados. **Hoje**, num pleito como de há muito não se registra, três chapas disputam o controle da secção regional da OAB.

Naquele dia, conta o autor, muitos advogados se dirigiram à sede da OAB em Salvador a fim de votar, mas havia um problema: a eleição não estava marcada para aquele dia. No dia seguinte, o escritor "deu a mão à palmatória" e escreveu em sua coluna que cometeu uma impropriedade no uso da expressão "hoje", gerando dúvidas nos leitores.

Para Cavalcante, os dêiticos temporais "localizam no tempo do enunciador determinados fatos, isto é, utilizam como ponto de referência o 'agora' da enunciação" (2013, p. 132). Outros elementos linguísticos aparecem frequentemente como dêiticos temporais, tais como: locuções adverbiais ou expressões de tempo (amanhã, ontem, na semana passada, no dia seguinte, no próximo mês etc.); sufixos flexionais de tempo-modo (falarei, falo etc.); alguns adjetivos (futuro, atual, contemporâneo etc.); alguns nomes (véspera etc.); e algumas preposições e locuções prepositivas (após, depois de, antes de etc.).

Exemplificando:

> **ENUNCIADO 26**
>
> **Ditador na cadeia**
>
> Último presidente da ditadura militar argentina (1976-1983), Reynaldo Bignone, de 82 anos, foi condenado **na semana passada** a 25 anos de prisão por crimes contra a humanidade. [...][28]

No enunciado 26, por se tratar de um texto jornalístico, é essencial que o leitor saiba a que data se refere aquele "na semana passada". Essa coordenada tem que vir explicitada a fim de que o leitor da revista saiba que a expressão dêitica tem como referência a data de publicação, 26 de abril de 2010. Por isso, os DT localizam determinados fatos no tempo do produtor do texto utilizando o momento da comunicação pelo locutor.

Espíndola (2012, p. 37) destaca elementos linguísticos que funcionam como dêiticos temporais:

> Os elementos linguísticos que mais comumente veiculam a ideia de tempo – os advérbios de tempo – só funcionam como dêiticos temporais em contextos em que a perspectiva do locutor no momento enunciativo é considerada. Em outras palavras, além dos dêiticos de tempo propriamente ditos – *ontem, hoje e amanhã* – há um grupo – *agora, antes, depois, então* – que, de acordo com Azeredo (2008, p. 193), serão considerados dêiticos quando fizerem referência ao momento da enunciação.

E nos oferece outro exemplo:

> **ENUNCIADO 27**
>
> **Agora/Antes/Depois** quero lhe apresentar um amigo. [dêixis]

---

[28] Época, 26 abr. 2010, p. 16, em Cavalcante, 2013, p. 132.

> **ENUNCIADO 28**
> Eu era apenas uma criança **então**. [dêixis][29]

Para Espíndola, "na língua portuguesa, o uso de alguns elementos que funcionam como dêitico em alguns gêneros textuais pode ser um pouco mais complexo" (2012, p. 36). Nesse sentido, ela apresenta alguns casos em narrativas cujo centro dêitico é o locutor. Como exemplo:

> **ENUNCIADO 29**
> — Quando você viaja para Londres?
> — Na **próxima semana**!

> **ENUNCIADO 30**
> **Na primeira semana** vou a Londres e **na próxima** vou a Paris.

Nos enunciados 29 e 30, o centro dêitico do locutor é o tempo presente (tempo de codificação), então, normalmente, se usam "sintagmas nominais com o adjetivo próximo (*próxima semana, próximo mês, próximo ano* etc.)" (Espíndola, 2012, p. 37).

Por outro lado, segundo a autora, quando o locutor determinar como centro dêitico "um tempo no passado e estiver narrando fatos anteriores a esse passado fixado como centro dêitico, usam-se sintagmas nominais com o adjetivo *seguinte* (*dia seguinte, semana seguinte, ano seguinte* etc.)". E exemplifica conforme 31 e 32:

> **ENUNCIADO 31**
> — Quando você chegou da viagem?
> — Na **semana passada**!

---

[29] Extraído de Levinson, 2007 [1983], p. 91.

> **ENUNCIADO 32**
>
> **Na primeira semana** fui a Londres e **na (semana) seguinte** fui a Paris.

Os enunciados 31 e 32 apresentam as expressões situadas em relação ao centro dêitico fixado pelo locutor como um tempo passado, e ele próprio narra fatos anteriores, podendo-se, assim, considerar tais expressões como "dêiticas", pois necessitam dessa orientação por parte do falante.

Dessa forma, como afirma Levinson, "as dêixis de tempo e lugar são extremamente complicadas pela interação das coordenadas dêiticas com a conceitualização não dêitica de tempo e espaço" (2007 [1983], p. 89). Assim, observamos que a dêixis de tempo toma por referência o posicionamento do locutor ("eu" falante) no momento da comunicação.

3.2.3 Dêixis de espaço (DE)

Outra classificação da dêixis faz referência ao local de uma entidade, um locutor ou um interlocutor, em relação ao contexto da enunciação. É a dêixis de espaço ou de lugar. Levinson assim se posiciona sobre a DE:

> A dêixis de lugar ou espaço diz respeito à especificação de localizações relativamente aos pontos de ancoragem no acontecimento discursivo. A importância das especificações de localização em geral pode ser avaliada pelo fato de que parece haver duas maneiras básicas de fazer referência aos objetos – descrevê-los ou nomeá-los, por um lado, e localizá-los, por outro (Lyons, 1977a, 648). Ora, as localizações podem ser especificadas relativamente a outros objetos ou pontos de referência fixos (2007 [1983], p. 97).

Servem como expressões indicadoras da dêixis espacial: advérbios de lugar (aqui, ali, além, cá, lá etc.); locuções adverbiais com valor locativo (aqui perto, lá de cima etc.); pronomes demonstrativos (este, esse, aquele, aquilo etc.); verbos de movimento (ir, vir, levar, trazer, entrar, sair, partir, chegar, aproximar-se, afastar-se, subir, descer etc.); algumas preposições e locuções prepositivas (perante, ao lado de etc.); e localizadores espaciais (na frente, em frente, atrás, embaixo, em cima, à esquerda, à direita, dentro, fora etc.).

Exemplifico, a seguir, algumas expressões indicadoras de dêixis espacial.

> **ENUNCIADO 33**
>
> Eu moro **aqui**, mas minha família ficou **lá**.

> **ENUNCIADO 34**
>
> Vejam, **ali** tem uma árvore.

> **ENUNCIADO 35**
>
> Venham **cá**, meninos, vocês estão **além** da faixa.

> **ENUNCIADO 36**
>
> Passamos o dia na casa de amigos que **aí** moravam.

> **ENUNCIADO 37**
>
> **Aqui perto** existe uma biblioteca.

> **ENUNCIADO 38**
>
> **Lá de cima** conseguimos enxergar parte da cidade.

> **ENUNCIADO 39**
>
> A piscina fica **ao lado**, o bar está **em frente**.

De acordo com Espíndola, elementos como os destacados anteriormente (aqui, lá, ali, cá, além, aí, aqui perto, lá de cima, ao lado, em frente) serão dêiticos espaciais "tendo como referência dêitica o espaço onde se encontra o locutor; ou seja, a cena enunciativa". Além disso, só são considerados dêiticos os elementos linguísticos que, "tomando como referência a localização do locutor ou do interlocutor no momento da enunciação, estiverem na função de localizadores espaciais (veicularem informações espaciais)" (2012, p. 37). Como exemplo:

> **ENUNCIADO 40**
>
> — Guri, vá lá **dentro** vestir sua camisa antes que você adoeça!
> — Se você está dizendo...

Ainda segundo Espíndola, no diálogo entre mãe e filho que acontece no enunciado 40, fica claro que o uso do localizador "dentro" é dêitico, pois o espaço (posição) onde se encontra o locutor (mãe) estabelece a orientação espacial dos interlocutores (mãe e filho), que, nesse contexto, se encontram na parte de fora em relação à camisa do filho, que se encontra dentro da casa.

Outra característica importante no fenômeno da dêixis espacial é a escolha de palavras para mostrar distanciamento ou proximidade do interlocutor em relação ao falante, por exemplo:

> **ENUNCIADO 41**
>
> Dê-me **aquele** bolo.

O demonstrativo "aquele" aponta para um bolo presente no contexto situacional e localiza-o num espaço distante do(s) interlocutor(es). Tais parâmetros de proximidade e distanciamento são o que Levinson (2007 [1983], p. 75) denomina distal e proximal. Vejamos outro exemplo.

> **ENUNCIADO 42**
>
> Passe-me **aquele** livro.

No enunciado 42, o localizador "aquele" orienta e indica a posição dos interlocutores que estão a uma determinada distância do livro. Assim, o locutor parece estar distante do referente "livro".

Quando, por sua vez, as orientações de espaço independem da localização do interlocutor, o objeto assume uma posição fixa e constante. Como observado no enunciado a seguir:

> **ENUNCIADO 43**
> Onde está o caderno? Ah, já sei, está **dentro da gaveta**.

Em 43, independentemente da localização do locutor, o caderno se encontra dentro de uma gaveta. Portanto, a orientação dada pela gaveta é intrínseca a ela e independe da localização do falante, sendo assim de uso não dêitico.

A característica de movimento de centros dêiticos, tanto na dêixis de tempo quanto na dêixis de espaço, sinaliza a questão da existência de pontos de ancoragem ou de coordenadas dêiticas que podem nos orientar em uma situação interlocutiva. Nesse sentido, é pertinente reservar para a reflexão final deste capítulo o que retrata Espíndola (2012, p. 40):

> Alguns verbos de movimento, em língua portuguesa, traduzem uma ação que inicia em um ponto determinado e finda em outro ponto espacial. Daí a nomenclatura "verbo de movimento"; são os verbos que exprimem um deslocamento de um ponto a outro. E muitas vezes o ponto de partida e/ou de chegada coincide com o espaço enunciativo onde encontro o locutor (eu) ou o interlocutor (tu/você).

Por exemplo: usando a forma verbal "venha", o locutor cria espaço para o interlocutor, que é solicitado a se deslocar até o espaço no qual se encontra o locutor:

> **ENUNCIADO 44**
> **Venha** me dar um beijo.

> **ENUNCIADO 45**
>
> — **Vamos** ao *shopping*?
> — Pode ser!

Nos enunciados 44 e 45, o locutor usa as formas verbais "venha" e "vamos" como um convite para o deslocamento no espaço, estabelecendo dois pontos (o que chamamos de âncoras): "o *aqui*, onde está, pelo menos, o locutor (pois o interlocutor pode estar em um espaço diferente daquele onde está o interlocutor)" e também o "*lá* – shopping – um espaço onde ambos não estão, ou seja, espaço distante dos dois participantes da interação" (Espíndola, 2012, p. 42).

Alguns textos não apresentam o complemento espacial requerido pelo verbo, "porém esses complementos (espaços) podem ser recuperados (gerados), a partir da semântica de suas formas verbais". Por exemplo, as formas verbais "saia" e "entre", de acordo com Espíndola, "já preveem, na definição, que você só pode sair de algum lugar se você lá estiver, assim como só se pode usar o verbo *entrar* para alguém ou algo que esteja fora desse espaço" (2007, p. 42). Exemplos:

> **ENUNCIADO 46**
>
> Saia imediatamente!

> **ENUNCIADO 47**
>
> Entre imediatamente!

Considerando Espíndola (2012), um contexto possível para os enunciados "pode ser aquele em que duas pessoas estejam discutindo e em que, aquele que tem sobre o outro 'autoridade', imperativamente, solicita que o outro saia (ou entre) do espaço onde o locutor se encontra". Dentro dessa concepção, no enunciado 46, ao dizer "Saia imediatamente!", "o locutor cria o espaço *lá*, o espaço externo àquele onde locutor e interlocutor se encontram (*aqui*)"; e por sua vez, no enunciado 47, quando o locutor diz "Entre imediatamente!", ele "gera o espaço interior (*aqui*) – aquele onde está o locutor – e o exterior (*aí*), espaço onde está o interlocutor" (p. 43).

Segundo Azeredo (2008, pp. 177-178), citado por Espíndola (2012), o enunciador pode situar os objetos: no seu próprio âmbito – a primeira pessoa – por meio de este, esta, estes, estas e isto; no âmbito do interlocutor/leitor – a segunda pessoa – por meio de esse, essa, esses, essas e isso; no âmbito da não pessoa – a terceira pessoa – por meio de aquele, aquela, aqueles, aquelas e aquilo.

Podemos observar no enunciado a seguir três aspectos abordados anteriormente:

> **ENUNCIADO 48**
>
> Vou me deitar **nesta rede**, você deita **nessa** e vocês, crianças, se acomodarão **naquelas**!

O enunciado 48 relata uma situação interlocutiva na qual o locutor indica (mostra, aponta) a rede que está próxima dele e onde ele vai se deitar usando o pronome demonstrativo "nesta". Em seguida, indica a rede perto do primeiro interlocutor para que ele se deite e usa o pronome "nessa". Ato contínuo, o locutor aponta para que os demais interlocutores se acomodem nas redes que estão afastadas da situação comunicativa e, para isso, utiliza o pronome "naquelas".

Levinson (2007 [1983]) destaca aqui o centro dêitico, o tempo de codificação (TC) e o tempo de recebimento (TR). Retomamos também Lyons (1979), quando afirma que a dêixis é organizada em um eixo egocêntrico, ou seja, nas expressões dêiticas aportadas no falante para especificar pontos no evento comunicativo.

Alguns desses pontos vão constituir o centro dêitico da interlocução e assim podem aparecer como centro dêitico:

- A pessoa central é o falante.

> **ENUNCIADO 49**
> **Eu** estou **aqui** para trabalhar.

- O tempo central é o tempo no qual o falante produz o discurso.

> **ENUNCIADO 50**
> **Hoje**, comemoro trinta anos de idade.

- O lugar central é a localização do falante no tempo do discurso.

> **ENUNCIADO 51**
> Peguei **este ônibus** no centro. Ele está indo muito rápido.

- O discurso central é o ponto no qual o falante está frequentemente na produção de seu próprio discurso.

> **ENUNCIADO 52**
> Ratifico tudo que afirmei **antes**.

- O centro social é o status social do falante ao qual o status do ouvinte está relacionado.

> **ENUNCIADO 53**
> Receba a minha bênção, **meu filho**.

Chamo a atenção para a existência de exceções em relação à organização relativa desse eixo egocêntrico, pois encontramos, em algumas línguas, demonstrativos organizados em volta da localização (espaço) de outros participantes que falam. Daí a importância da retomada dos TC e TR aqui na DE. Há também o que Lyons (1979) chama de projeção dêitica e que Fillmore (1971) chama de ponto de vista, ou seja, o uso de expressões dêiticas que mudam esses centros dêiticos para outros participantes ou de fato para protagonistas em narrativas. Esse processo de mudança de centro dêitico é importante para dêiticos espaciais e temporais, bem como para o uso de dêiticos em outros discursos que não aconteçam em uma interação face a face.

Nessa perspectiva, Levinson (2007 [1983]) diz que as localizações podem ser especificadas relativamente a outros objetos ou pontos de referência fixos, e exemplifica:

ENUNCIADO 54

A estação fica a duzentas jardas da catedral. [não dêitico]

ENUNCIADO 55

Kabul está a 34 graus de latitude e 70 graus de longitude. [não dêitico]

ENUNCIADO 56

Fica a duzentas jardas. [dêitico]

ENUNCIADO 57

Kabul fica quatrocentas milhas a oeste daqui. [dêitico]

Levinson explica que, em qualquer um desses casos (54, 55, 56 e 57), é bem provável que "unidades de medida ou descrições de direção e localização tenham de ser usadas e, nesse caso, a dêixis de lugar acaba por interagir de maneiras complexas com a organização não dêitica do espaço" (2007 [1983], p. 97).

A seguir passaremos a tratar de dois tipos de dêixis que, num acordo teórico dos estudiosos, somam-se aos tipos clássicos de pessoa, tempo e espaço ou lugar. São as dêixis social e discursiva.

3.2.4 Dêixis social (DS)

Somando-se às categorias anteriores, Levinson (2007 [1983]) traz uma proposta que parte de Fillmore (1971, p. 76) e Lyons (1979, p. 667), a qual contempla a dêixis social (DS) e a dêixis discursiva (DD). Exercendo um papel importante nas interações linguísticas, a dêixis social aborda as escolhas a serem tomadas quando, na interlocução, aparecem identidades sociais determinantes de níveis discursivos. Esses níveis geralmente se caracterizam por serem honoríficos, polidos, íntimos ou insultantes. Vejamos os enunciados:

> **ENUNCIADO 58**
>
> — **Vossa Excelência** deseja contraditar essas provas?
> — Apenas se a **Magnífica** Reitora assim o desejar.

Encontramos, na situação comunicativa do enunciado 58, expressões linguísticas que sinalizam polidez no tratamento de certas pessoas. Tais expressões são exemplos da dêixis social do tipo relacional, a qual, segundo Levinson (2007 [1983]), é muito importante e ocorre entre falante e referente, falante e interlocutor,[30] falante e espectador, falante e ambiente.

Levinson considera ainda o tipo "absoluta", não relacional, de dêixis social. Para o autor, essa espécie trata de formas reservadas de falantes, o que ele chama de "falantes autorizados". Por exemplo, em certas línguas existem morfemas que são partículas polidas "que só podem ser usadas por falantes do sexo masculino" (p. 113). O autor cita:

---

[30] Nesta obra não foi utilizada a terminologia "destinatário". Quando necessário, optou-se por "interlocutor".

> Por exemplo, em tailandês, o morfema *khráb* é uma partícula polida que só pode ser usada por falantes do sexo masculino, sendo *khá* a forma feminina correspondente reservada a falantes do sexo feminino (Haas, 1964). Do mesmo modo, há uma forma do pronome de primeira pessoa reservada para o uso do imperador japonês (Fillmore, 1971b, p. 6).

Espíndola (2012, p. 30) lembra:

> Quando se interage com alguém, tomam-se (ou deveriam ser tomadas), considerando quem é o interlocutor, algumas decisões: qual a relação que o locutor mantém com aquele? Qual gênero será utilizado e, consequentemente, o contexto em que se dará essa interação? Saliente-se que essa seleção acontece quase que de forma automática em situações de uso recorrente. Porém há outras em que é necessário fazer as escolhas referidas, considerando os fatores elencados.

Para além dos pronomes pessoais eu e tu, Espíndola diz que a língua portuguesa tem, "para, em uma interação, marcar interlocutor e locutor, os pronomes de tratamento *senhor(a)*, *senhorita* e formas de reverência ou cerimoniosas, as quais são introduzidas pelo possessivo *vossa* ou *sua*" (p. 30). Para a autora, o uso de formas linguísticas como os pronomes de tratamento serve para "anunciar" a relação hierárquica entre os participantes da interação. Essas formas revelam certa assimetria nas relações, identificado o perfil social do interlocutor. Por exemplo, um aluno pergunta:

ENUNCIADO 59
Professora, quando irei fazer o meu teste?

A forma "professora" situa o aluno (locutor), que, ao fazer a pergunta, individualiza e marca socialmente a posição hierárquica dele em relação à sua interlocutora (a professora).

Títulos honoríficos, como "Vossa Majestade", "Vossa Excelência", "Vossa Santidade" etc. e pronomes de tratamento (como já vimos anteriormente) servem para destacar as relações hierárquicas entre falantes. Todavia, devemos lembrar que existem outras formas de demonstrar a diferença de posição social entre eles, tais como as relações de parentesco ou outras que são convencionadas em determinadas coletividades de pessoas, como associações, clubes, comunidades religiosas, culturais, raciais etc.

De acordo com Cavalcante (2000a), a dêixis social é menos produtiva. A autora coloca esse tipo de dêixis em segundo lugar considerando uma escala denominada Escala de Subjetividade. Para Cavalcante, essa escala apresenta em primeiro lugar a dêixis de pessoa.

Nessa perspectiva, a autora ressalta que são as relações em sociedade "(e não a interação linguística em si mesma) que, ao condicionar a escala de níveis de maior ou menor formalidade, findam por determinar a seleção de títulos honoríficos e outras expressões de intimidade e polidez".

Espíndola (2012) assume um posicionamento semelhante quando afirma que nem sempre o uso de forma honorífica marca uma posição hierárquica, podendo, em algumas situações, revelar respeito ou humildade, quando, por exemplo, usamos, em relação ao interlocutor, o pronome de tratamento "senhor".

Seguindo esse raciocínio, percebemos que, no texto jurídico, poderemos encontrar uma relação de dependência entre a dêixis social e a dêixis pessoal, destacando uma posição hierárquica exigida, como vemos nos dois enunciados a seguir:

ENUNCIADO 60

Excelentíssimo Senhor Juiz... "Fulano"... vem com todo respeito e acatamento à presença de **Vossa Excelência** apresentar [...][31]

ENUNCIADO 61

"Fulana" [...], já qualificada nos autos do processo em epígrafe [...], vem com súpero acatamento e respeitosamente, diante de **Vossa Excelência**, apresentar e requerer a juntada dos presentes documentos.

---

[31] Petição inicial do processo: 200.2009.026.129-4 – 1ª Vara Cível da Comarca de João Pessoa (PB).

Nos exemplos 60 e 61, o tratamento dado ao juiz reflete uma posição hierárquica de respeito e solicitude.

Levinson (2007 [1983]) chama a atenção para o fato de que o valor social do dêitico pode variar de uma língua para outra, pois, muitas vezes, o código de relacionamento social varia conforme a cultura.

3.2.5 Dêixis discursiva (DD)

Neste livro, abordo a dêixis discursiva (DD) – também denominada por alguns autores dêixis textual – levando em consideração os estudos de Lahud (1979), Levinson (2007 [1983]), Marcuschi (2008), Cavalcante (2000a; 2013); Cavalcante e Lima (2013), Cavalcante et al. (2014) e outros.

Levinson (2007 [1983], p. 105) denomina essa categoria dêixis de discurso ou de texto. Para o autor, esse tipo "diz respeito ao uso de expressões num enunciado para fazer referência a alguma parte do discurso que contém esse enunciado (ou ao próprio enunciado)". Esclarecendo esse posicionamento de Levinson, Cavalcante (2000b, p. 55) diz que o autor:

> [...] salienta a estreita ligação entre a dêixis discursiva e as citações (ou menções), já que a referência é feita a segmentos de um texto, no caso, do próprio discurso em andamento. Assim, expressões como *essa frase, essas palavras, as seguintes linhas* etc. executam uma espécie de "referência reflexiva", porque retomam a própria forma (lexema, expressões, parte de texto etc.).

A dêixis discursiva (DD) se estabelece, segundo Cavalcante, quando ocorre mudança do campo dêitico canônico (da situação real da comunicação) para o ambiente textual (cotexto). Entendemos que, como diz Espíndola (2012, p. 48), apesar de não ter "status de dêixis de lugar e dêixis de tempo, a dêixis discursiva também tem como centro dêitico o momento de formulação enunciativa do locutor", fazendo referência ao espaço discursivo.

Fixando-se nesse ponto, Cavalcante (2000b, p. 53) afirma que a dêixis discursiva vai "localizar porções do discurso em andamento" e pleiteia que esse tipo de dêixis "não tem o mesmo status que as outras, e se apresenta como um tipo de derivação das dêixis temporal e espacial, as quais, por sua vez, são organizadas conforme a dêixis de pessoa".

A partir dessa perspectiva conceitual, começo a caracterizar a DD. Uma de suas características marcantes é a relação com o tempo e o espaço, não da situação real comunicativa, mas do texto que se materializa. Ocorre uma mudança do campo dêitico da situação comunicativa para o ambiente do cotexto e toma-se como ponto de origem o próprio locutor. Com isso, o espaço e o tempo dêiticos, devidamente apoiados no referencial do falante, serão reinventados, respeitando os limites do texto, e diante disso as DDs cumprem a função de "gerar focos de atenção" (Cavalcante, 2000a, p. 49).

Tomemos o enunciado citado em Espíndola (2012, p. 48) para análise:

> **ENUNCIADO 62**
>
> Você acredita que o homem foi à Lua?
> Começarei e terminarei **este texto** com a mesma **pergunta acima**. Após ter acesso aos diversos indícios de fraude que abordaremos **aqui**, será muito difícil que uma pessoa continue acreditando na versão oficial que relata a viagem do homem à Lua.[32]

De acordo com a autora, o enunciado 62 apresenta quatro dêiticos discursivos: um pronome demonstrativo ("este", formando o sintagma nominal "este texto"), dois advérbios de espaço ("aqui" e "acima" – este último também formando um sintagma nominal com função adjetiva ["pergunta acima"]) e um advérbio de tempo ("após"). Para ela, esses termos "não têm um referente explicitamente identificado no texto" e nem apresentam "a característica da correferencialidade, porém exercem função 'referencial' semelhante à exercida pela dêixis de lugar e tempo".[33]

Espíndola diz que "a expressão *este texto*, além de apontar para o texto muito próximo ao locutor, ao texto que ele está produzindo (texto em andamento), também assume a função de chamar a atenção do interlocutor" (2012, p. 49). Também funcionam como dêiticos, conforme a autora, "o sintagma nominal *a pergunta acima*", porque "nominaliza o ato de linguagem que está na função de título do texto, não deixando de focalizar e situar esse ato no espaço discursivo", o advérbio *aqui*, que "focaliza um espaço do

---

[32] Disponível em: <http://www.afraudedoseculo.com.br>. Acesso em: 8 jul. 2010.
[33] Ver nota 17.

discurso e chama a atenção do interlocutor para esse espaço" e a preposição *após*, que "funciona como um organizador temporal em relação ao tempo prospectivo".

Considerando o que diz Cavalcante (2000b, p. 54), outras expressões dêitico-discursivas também podem ser tomadas "diretamente da semântica de espaço". Nesse viés, reforça a autora, trazem enunciados que lembram formas, como "acima", "aqui", "abaixo" etc. Vejamos:

> **ENUNCIADO 63**
>
> **Este trabalho** comenta algumas estratégias...

> **ENUNCIADO 64**
>
> Diferentemente dos outros casos, **aqui** não se pode dizer...

> **ENUNCIADO 65**
>
> Já foi observado **acima** que...

> **ENUNCIADO 66**
>
> Como procuraremos demonstrar na análise da narrativa **abaixo** transcrita...

Cavalcante postula, anunciando os enunciados supracitados, que as expressões "*aqui* ou *este trabalho* se referem ao próprio local do texto produzido pelo enunciador; *acima* e *abaixo* têm como ponto de referência o último enunciado do falante e a arrumação vertical do texto". Assim, quando se empregam dêiticos discursivos dessa natureza, "a distância avaliada no tempo/espaço textual não perde de vista a noção de proximidade em relação ao enunciador e, por isso mesmo, mantém o subjetivismo próprio da dêixis" (2000a, pp. 54-55).

O tempo dêitico pressuposto na aplicação dos dêiticos discursivos "é o momento de formulação de cada enunciado pelo falante (*encoding time real*)". Já em relação ao espaço referencial, "o ponto de referência é um local dentro da arrumação do texto. Assim, podemos dizer que os DD apontam para o texto em si mesmo" (Duarte, 2002a, p. 5).

Outra característica já pacificada no uso da DD é a referencialidade. Nesse aspecto, a referencialidade nos leva a robustecer a visão de que os DDs recuperam informações dentro do cotexto, por isso são considerados expressões referenciais. Considerando essa perspectiva, Cavalcante (2000b, p. 54) sustenta:

> Do mesmo modo, não podemos afirmar que o ponto de referência espacial também não seja do enunciador, pois, ao fixar o momento de seu último enunciado, o falante mede a distância da menção anterior ou posterior ao referente visado. Tempo e espaço estão de tal modo imbricados no jogo dêitico das localizações que não se poderia falar de um sem, necessariamente, pressupor o outro. Mas é preciso notar que o espaço que referencia tal espécie de dêiticos discursivos não é o lugar físico real onde se encontra o falante durante o ato comunicativo, e sim, um local (embora também físico) dentro da arrumação do texto. Consequentemente, o status que ocupam os dêiticos discursivos não pode ser o mesmo dos outros dêiticos não pessoais: existe uma diferença quanto à **referencialidade**. Enquanto os de lugar e tempo remetem ao ambiente real da comunicação, os do discurso apontam para outro lugar dêitico: o texto em si mesmo.

A referencialidade destacada na citação anterior pode ser identificada no enunciado seguinte:

ENUNCIADO 67

À luz do exposto, com supedâneo no que dos autos consta e respaldado em princípios de direito aplicáveis à espécie, julgo procedente o pedido.[34]

---

[34] Frase comum nas SJCs como, por exemplo, o processo nº 00176 -0019392.52.2015.8.13. 0295 do Tribunal de Justiça de Minas Gerais.

No enunciado 67, a expressão "à luz do exposto" certamente recupera uma porção textual-discursiva dentro do cotexto, ativando esse processo de referencialidade. A expressão se reporta, indica, aponta, faz referência a alguma parte do texto que contém o que foi enunciado (exposto).

Também se admite, como característica da DD, a presença da subjetividade,[35] quando, no momento da formulação da interlocução, os dêiticos marcam pessoas (sujeitos) envolvidas, bem como alguns locais do espaço físico do texto. Isso certamente enseja um caráter de subjetividade à dêixis discursiva. Em sua tese de doutorado, Cavalcante (2000b, p. 5) diz que pelo princípio da subjetividade se definem todos os fenômenos dêiticos.

Ainda no enunciado 67, a expressão "julgo procedente o pedido" designa o envolvimento do juiz (eu) e de quem fez o pedido (tu) por meio de uma petição (pedido).

Como vimos até aqui, encontramos várias funções dos DDs. Na subseção seguinte, apresentarei as funções elencadas por Cavalcante (2000a), demonstrando que os DDs realizam uma atividade de organizar, orientar e monitorar o olhar dos interlocutores para porções textuais. Sobre isso, Marcuschi e Calixto afirmam que os DDs realizam uma função "cognitiva à medida que criam uma perspectiva comum e preferencial de observação discursiva" (1997, p. 158).

As funções delineadas por Cavalcante servirão, posteriormente, como minhas categorias de análise.

3.2.5.1 Funções dos DDs em Cavalcante (2000a)

A fim de atingir os objetivos empreendidos na minha pesquisa, recorri, nesta parte do livro, a estudos de Cavalcante (2000a; 2000b), Duarte (2002b) e Catunda (2009) sobre diversas funções encontradas nos dêiticos discursivos. Todavia, me ative a Cavalcante (2000a), no seu famoso e consagrado artigo, recorte de sua tese, "A dêixis discursiva".

Os estudos de Duarte (2002b) e Catunda (2009) se valeram dessa pesquisa empreendida por Cavalcante no artigo supracitado e tratam do gênero jurídico acórdão. Esse gênero se assemelha às SCJs por se tratar de um texto escrito no qual se exaram decisões judiciais. Nos acórdãos, essas decisões

---

[35] A subjetividade na linguagem é tratada por autores como Benveniste (1966a), Breál (1992) e Normand (1996). Para Cavalcante et al. (2014, p. 94), quando se empregam dêiticos textuais, a distância avaliada no tempo-espaço textual "não perde de vista a noção de proximidade em relação ao enunciador" e, por isso mesmo, mantém o subjetivismo (subjetividade) "próprio da dêixis".

são tomadas em nível de órgãos colegiados, ou seja, em turmas de juízes dos tribunais judiciários superiores (desembargadores e ministros).

Recordo que Cavalcante (2000a) está embasada teoricamente nos trabalhos de Fillmore (1971); Lyons (1979); Lahud (1979); Levinson (2007 [1983]); Benveniste (1989); Apothéloz e Reichler-Béguelin (1995); Apothéloz e Chanet (1997); Marcuschi e Calixto (1997); e Koch (1997).

Em "A dêixis discursiva", Cavalcante sistematiza diversas funções dos DDs na elaboração do texto. Para chegar a essas funções, em primeiro plano, a autora delimita e define DD. No entanto, a pesquisadora encontra um problema nessa delimitação e na definição dos DDs. Nunca é demais lembrar que esse problema, segundo Cavalcante, "parece profundamente enraizado numa distinção antiga e mal resolvida entre anafóricos e dêiticos", estes com características muito semelhantes àqueles. O liame que separa os dois fenômenos é muito tênue (2000a, p. 48).

Não obstante a existência dessa dificuldade, Cavalcante destaca dois critérios que ajudam na caracterização dos DDs. O primeiro é a referência a porções difusas do discurso pelos DDs (sem retomar referente pontualmente localizável)[36] e o segundo é que os DDs deixam subentendida a posição do falante no tempo da formulação (*coding time* ou TC).

A primeira das funções encontradas em Cavalcante (2000a) é uma que chamarei aqui de função de "ordenação" (p. 48), ou seja, é aquela atividade em que o DD recupera e põe ordem em uma série de informações dispersas em trechos anteriores ao enunciado transcrito, localizando a informação em um ponto anterior à última enunciação do falante.

Em seguida, Cavalcante (2000a), embasada no trabalho de Ehlich (1982), assinala a função DD de "focalização". Por esse uso, os DDs cumprem a função de gerar "focos" de atenção. Segundo a autora, a focalização é uma operação cognitiva que se baseia numa orientação prévia comum aos interlocutores, a fim de conduzir o olhar do interlocutor para um determinado objeto de discurso, que pode ser identificado tanto no espaço dêitico real (situação real da interlocução) quanto no espaço metaforizado do texto (espaço físico distante da posição real dos interlocutores).

Essa função de focalização, de acordo com Marcuschi e Calixto (1997, p. 158), faz com que os DDs exerçam um papel metacognitivo, ou seja,

---

[36] Isso é uma característica dos anafóricos.

criam uma perspectiva comum e preferencial de observação discursiva. Vejamos o exemplo seguinte:

> a saudade que está de eu voltar a trabalhar como desenhista... na Light... é isso... porque: foi um ambiente superagradável... não teve nada daquela ambição/aquela coisa de... de você querer puxar o tapete do outro pra conseguir galgar... um certo cargo... não tinha **isso**... lá... por ser estatal... não tinha **essas ambições**... então... todo mundo...era um ambiente superagradável... de brincadeira... a história engraçada foi **essa**... (F035, narrativa espontânea, Nelfe)

Como podemos perceber, no exemplo acima, os DDs ("isso", "essa" e "essas ambições") exercem um papel de gerar "focos" de atenção para os interlocutores na narrativa espontânea, mais especificamente para o antigo ambiente (espaço físico) de trabalho (empresa Light) da pessoa que realiza a narrativa (locutor).

Cavalcante assinala que essa função de focalização, de acordo com Apothéloz e Reichler-Béguelin (1995), organiza o espaço do texto, facilitando, assim, a orientação do interlocutor. Para a autora, expressões como "este último", "acima", "em seguida", "no próximo capítulo", "aqui", "o exemplo abaixo", "o parágrafo abaixo", "o artigo aqui desenvolvido", "na fundamentação supra", marcam com mais exatidão o lugar que certos conteúdos ocupam no espaço gráfico do texto.

Cavalcante identifica também, em seu estudo, a função DD de "categorização" (2000a, p. 53).[37] Essa função pode ser denominada "(re)categorização". Prefiro denominá-la na minha pesquisa "categorização", porque acredito que o termo "(re)categorização" represente melhor anáforas. Por esse funcionamento, os DDs resumem conteúdos proposicionais, categorizando-os pela estratégia de nominação, ou seja, como um pronome ou como um sintagma nominal. Vejamos os exemplos trazidos por Cavalcante:

---

[37] Não se trata de recategorização, pois, segundo Cavalcante, a recategorização ficaria mais afeta às anáforas quando elas retomam um referente pontualmente localizável.

(i) **Categorização como pronome**

[...] alguém disse na carta enviada a Clóvis Rossi vejam bem os senhores "alguém está trapaceando com o meu direito com aquilo que me pertence além de me massacrar física e moralmente ferindo os meus direitos e minha cidadania paguei a previdência durante toda a minha vida [...] mais de trinta anos para ser humilhado depois de velho" ao completar oitenta anos de idade meus amigos **isso** dói (F033, conferência, Nelfe).

(ii) **Categorização como sintagma nominal (SN)**

Por esse tempo, a ideia da vida perene começava a atormentá-lo, e ele pensou até em fazer com que algum amigo ou amiga bebesse do elixir da longa vida para, assim, fazer-lhe companhia pela eternidade; mas resolveu deixar **essa providência** para mais tarde (ensaio literário, *corpus* complementar).

Em meu entendimento, categorizações como as anteriores evidenciam "uma estratégia muito particular dos dêiticos discursivos: a de rotular segmentos textuais" (Cavalcante, 2000a, p. 54). Os rótulos funcionam como "recursos de organização", realizam "remissões retrospectivas" e são sempre precedidos de um dêitico específico (*este, aquele, esse, tal* etc.). Os rótulos também executam a função de conectar sequências textuais, provocando "mudanças de direção na construção dos sentidos".

Outro papel desempenhado pelos DDs rotuladores é o de contribuir para "a acumulação de significados no discurso", seja simplesmente "resumindo conteúdos", seja "aditando" informações novas.

Nesse caso, a autora usa como exemplo:

> Fui ao banheiro, o assento do vaso estava solto, despencando para lá e para cá. Falei com outra comissária e ela, com um sorriso charmoso, me respondeu como se não tivesse nada a ver com o avião e eu mesmo devesse resolver o problema chamando um bombeiro hidráulico, ou **qualquer coisa assim** (crônica de João Ubaldo Ribeiro, *corpus* complementar).

No exemplo exposto, o DD "qualquer coisa assim" possui significado genérico e tem a função de conectar conteúdos do texto, resumindo-os e dando novo encaminhamento, ou aditando alguma porção de informação nova. O DD dá margem para que se pense em qualquer outra informação (nova) que possa substituir a expressão "chamando um bombeiro hidráulico" e que possa servir como resolução do "problema".

Os DDs rotuladores podem ainda ser constituídos por nomes metalinguísticos que rotulam uma extensão discursiva como "um tipo particular de linguagem", a exemplo de: "por este motivo", "esta situação", "dessa natureza", "nessa circunstância", "esta posição" etc.

Ainda sobre os DDs rotuladores, eles podem ser considerados DDs encapsuladores,[38] por resumirem conteúdos ou partes textuais. Veremos mais adiante que DDs que exercem função argumentativa também podem exercer função de encapsulamento. Sendo assim, trato essa função de encapsulamento como uma função concorrente com outras funções, a exemplo das funções trazidas por Cavalcante. A rotulação e o encapsulamento, no meu entendimento, auxiliam muito nas demais funções DD.

Por último, como função elencada por Cavalcante, assinalo a função DD de "argumentação". Para a respeitada pesquisadora, o poder de persuasão dos argumentos, comum aos textos escritos, é "intensificado" pelos *flashes* de atenção dos interlocutores, propiciados pelos demonstrativos. Estes têm a capacidade de aumentar a "saliência local" de um referente.

Não utilizo neste meu estudo a teoria da argumentação linguística de Ducrot e Anscombre. A argumentação na minha pesquisa é vista como a atividade verbal que objetiva fazer com que alguém acredite em alguma coisa (*dever-fazer* para *fazer-crer*). Isso se constitui na atividade retórica da persuasão (Ducrot, 2003).

Trato aqui da argumentação retórica. De acordo com Silva, a retórica é o ramo do conhecimento que "primeiro vai se preocupar com os estudos da argumentação" (2012, p. 31). Ainda segundo Silva, Perelman (1999), em seus estudos, destaca a corrente denominada Nova Retórica, que consiste "em argumentações que visem à aceitação ou à rejeição de uma tese em debate" e faz alusão à distinção aristotélica entre os raciocínios dialéticos e os analíticos, sendo que os raciocínios predominantes na retórica são

---

[38] "Em primeiro lugar, argumentamos que a capacidade de encapsular é fruto de duas operações mentais, a conexão conceptual (princípio da identificação, nos termos de Fauconnier, 1994) e a integração conceptual (Fauconnier; Turner, 2002), que, por serem operações cognitivas gerais, atuam também em diversas instâncias da linguagem, inclusive na dêixis."; "O pioneirismo do estudo do encapsulamento como processo referencial é atribuído a Francis (1994), que trata da atribuição de títulos resumidos a segmentos textuais, nomeado pela autora de rotulação ('*labelling*')" (Silva, 2015).

os dialéticos e eles "agem sobre opinião do auditório, com a finalidade de convencer ou persuadir" (p. 31).

Em artigo de publicado em 2002, Duarte, estudando os acórdãos judiciais, identifica essa função de argumentação exercida pelos DDs e destaca o poder que esses elementos têm de "induzir a construção de um referente de acordo com o propósito argumentativo" do locutor. Isso se dá por meio de DDs que encapsulam trechos do discurso e trazem um conteúdo avaliativo, a exemplo de:

(iii) Verificando **essa falha**, o tribunal se obriga a determinar o arquivamento da exceção, consoante o art. 314 do CPC.

(iv) Na inicial, o promovente alude à ofensa de expulsão de sua casa à custa de bofetões e pontapés e à divulgação ostensiva de ser ele homossexual, porém, a alegação de tais fatos não merecerá o menor reparo por parte da ora apelante, ensejando a presunção de serem verdadeiros os indícios de comprovação **desses acontecimentos** existentes nos autos.

Nos exemplos, Duarte destaca os DDs "essa falha" e "desses acontecimentos" como encapsuladores de informação "velha" no texto, imprimindo a essas porções textuais um novo ponto de argumentação.

Entendemos que esses DDs argumentativos fazem com que haja uma "manipulação da interpretação" do interlocutor através dos fatos e de situações avaliativas. Esse caráter avaliativo permite ao interlocutor interpretar o texto de acordo com seus propósitos, aumentando o poder de convencimento do locutor.

Catunda, em seu artigo "Análise pragmática do gênero jurídico acórdão", lembra que os textos jurídicos são essencialmente argumentativos, haja vista serem dotados de linguagem persuasiva, "própria do direito", e têm "como função o convencimento" (2009, p. 198).

A partir dessas definições, elaboro o quadro 3, destacando e exemplificando as funções DD trazidas por Cavalcante (2000a). Tomo essas funções, como já sinalizei, por categorias de análise de minha pesquisa.

Quadro 3. Funções dos DDs em Cavalcante (2000a)

FUNÇÕES DOS DDs	EXEMPLOS
Ordenação ■ Aquela em que os DDs recuperam uma série de informações dispersas em trechos anteriores ao enunciado transcrito, localizando-as em um ponto anterior à última enunciação do falante. ■ Os DDs servem de orientação aos interlocutores e como organização textual. ■ Podem ser considerados também, em alguns momentos, encapsuladores.	"*Isto posto*, e considerando tudo o mais que dos autos consta, decide a Quarta Junta de Conciliação e Julgamento do Recife, à unanimidade, julgar *totalmente procedente* a reclamatória, condenando-se a reclamada – S.E.C.R –, a pagar, à demandante – A.C.G.R. –, no prazo de 48 horas, após a liquidação do julgado, todos os títulos deferidos na **fundamentação supra**, na forma e limites ali delineados, que passa a fazer parte integrante, do presente dispositivo." **Comentário:** a expressão DD "fundamentação supra" recupera uma série de informações dispersas em trechos anteriores ao enunciado transcrito, localizando-as em um ponto que antecede a última enunciação do falante.

(continua)

(continuação)

FUNÇÕES DOS DDs	EXEMPLOS
Focalização ■ Por esse uso, os DDs cumprem a função de gerar "focos" de atenção. Segundo a autora, a focalização é uma operação cognitiva que se baseia numa orientação prévia comum aos interlocutores, a fim de conduzir o olhar do interlocutor para um determinado objeto de discurso, que pode ser identificado tanto no espaço dêitico real (situação real da interlocução) quanto no espaço metaforizado do texto (espaço físico distante da posição real dos interlocutores). ■ Nessa função, os DDs exercem também um "papel metacognitivo" (p. 49), ou seja, criam "uma perspectiva comum e preferencial de observação discursiva".	"[...] a saudade que está de eu voltar a trabalhar como desenhista... na Light... é **isso**... porque: foi um ambiente superagradável... não teve nada daquela ambição/aquela coisa de... de você querer puxar o tapete do outro pra conseguir galgar... um certo cargo... não tinha **isso**... lá... por ser estatal... não tinha **essas ambições**... então... todo mundo... era um ambiente superagradável... de brincadeira... a história engraçada foi **essa**..." **Comentário:** os DDs ("isso", "essa" e "essas ambições") exercem um papel de gerar focos de atenção para os interlocutores, na narrativa espontânea, para o antigo ambiente (espaço físico) de trabalho (empresa Light) da pessoa que realiza a narrativa (locutor). Cavalcante assinala que essa função de focalização, de acordo com Apothéloz e Reichler-Béguelin (1995), organiza o espaço do texto, facilitando, assim, a orientação do interlocutor. Para a autora, expressões como "este último", "acima", "em seguida", "no próximo capítulo", "aqui", "o exemplo abaixo", "o parágrafo abaixo", "o artigo aqui desenvolvido", marcam com mais exatidão o lugar de certos conteúdos no espaço gráfico do texto.

(continua)

(continuação)

FUNÇÕES DOS DDs	EXEMPLOS
Categorização ■ Por esse funcionamento, os DDs resumem conteúdos proposicionais, categorizando-os pela estratégia de nominação (pp. 53-54), ou seja, como pronome ou como sintagma nominal. ■ As categorizações evidenciam "uma estratégia muito particular dos dêiticos discursivos: a de rotular segmentos textuais". Os rótulos funcionam como "recursos de organização", realizam "remissões retrospectivas" e são sempre precedidos de um dêitico específico (este, aquele, esse, tal etc.). Os rótulos também executam a função de conectar sequências textuais, provocando "mudanças de direção na construção dos sentidos". ■ Outro papel desempenhado pelos DDs rotuladores é o de contribuir para "a acumulação de significados no discurso", seja simplesmente "resumindo conteúdos", seja "aditando" informações novas (p. 54). ■ Os DDs rotuladores são considerados DDs encapsuladores por recuperarem ou resumirem conteúdos ou partes textuais.	**Categorização como pronome:** "[...] alguém disse na carta enviada a Clóvis Rossi vejam bem os senhores 'alguém está trapaceando com o meu direito com aquilo que me pertence além de me massacrar física e moralmente ferindo os meus direitos e minha cidadania paguei a previdência durante toda a minha vida... mais de trinta anos para ser humilhado depois de velho' ao completar oitenta anos de idade meus amigos **isso** dói" (F033, conferência, Nelfe). **Categorização como sintagma nominal:** "Por esse tempo, a ideia da vida perene começava a atormentá-lo, e ele pensou até em fazer com que algum amigo ou amiga bebesse do elixir da longa vida para, assim, fazer-lhe companhia pela eternidade; mas resolveu deixar **essa providência** para mais tarde" (ensaio literário, *corpus* complementar). "Fui ao banheiro, o assento do vaso estava solto, despencando para lá e para cá. Falei com outra comissária e ela, com um sorriso charmoso, me respondeu, como se não tivesse nada a ver com o avião e eu mesmo devesse resolver o problema chamando um bombeiro hidráulico, ou **qualquer coisa assim**" (crônica de João Ubaldo Ribeiro, *corpus* complementar).

(continua)

(continuação)

FUNÇÕES DOS DDs	EXEMPLOS
Argumentação O poder de persuasão dos argumentos, comum nos textos escritos, é intensificado pelos *flashes* de atenção dos interlocutores, propiciados pelos demonstrativos. Estes têm a capacidade de aumentar a "saliência local" de um referente. Em artigo publicado em 2002, Duarte, estudando os acórdãos judiciais, identifica essa função de argumentação exercida pelos DDs e destaca o poder que esses elementos têm de "induzir a construção de um referente de acordo com o propósito argumentativo" do locutor. Isso se dá por meio de DDs que encapsulam trechos do discurso e trazem um conteúdo avaliativo. A função argumentativa está no DD e na expressão que o segue, e essa argumentação, por se tratar de textos jurídicos, é uma argumentação retórica, que é, segundo Ducrot (2003), um esforço verbal para fazer com que alguém acredite em alguma coisa.	[...] homologo, por sentença, a proposta de suspensão do processo, pelo período de dois (02), impondo o acusado _____ qualificado nos autos, o cumprimento **das seguintes condições**, sob pena de revogação: – Não frequentar lugares públicos como boates e casa de tavolagem; – Não se ausentar deste juízo sem prévia autorização judicial, nem mudar de residência (TD05, Termo de depoimento, Protexto). **Comentário:** no exemplo, segundo Duarte (2002), "notamos que o DD funciona prospectivamente à medida que desempenha a função de predição e de ordenação, pois acrescenta ao referente acrescentando uma informação nova". Essa informação contribui para a "acumulação de significado" e imprime um novo ponto para o desenvolvimento da argumentação. Como, por exemplo, a expressão "o cumprimento das seguintes condições" antecipa o que vai ser dito como condição para uma proposta de suspensão de um processo (p. 5).

O quadro 3 é um esboço resumido do meu entendimento sobre as funções DD investigadas por Cavalcante (2000a). Verifico a existência de outros usos ou funcionamentos que podem atuar conjuntamente. Constato ainda que essas outras funções coocorrentes se interseccionam em alguns momentos. Com isso, proponho, na figura 1, a descrição de algumas funções.

Figura 1. Funções/usos dos DDs

```
┌─────────────────────────────────────────────────────────────┐
│  ┌──────────────────────────┐  ┌──────────────────────────┐ │
│  │ • Organização            │  │ • Organização            │ │
│  │ • Orientação             │  │ • Orientação             │ │
│  │ • Recuperação de         │  │ • Papel metacognitivo    │ │
│  │   informações            │  │ • Aumenta a saliência    │ │
│  │ • Localização de         │  │   discursiva             │ │
│  │   interlocutores         │  │ • Cria focos de atenção  │ │
│  │   (no tempo e no espaço) │  │   no texto               │ │
│  │ • Encapsulamento de      │  │                          │ │
│  │   conteúdos              │  │                          │ │
│  └──────────────────────────┘  └──────────────────────────┘ │
│              Ordenação              Focalização             │
│             Categorização           Argumentação            │
│  ┌──────────────────────────┐  ┌──────────────────────────┐ │
│  │ • Organização            │  │ • Organização            │ │
│  │ • Orientação             │  │ • Orientação             │ │
│  │ • Rotulação              │  │ • Encapsulamento         │ │
│  │ • Encapsulamento         │  │ • Aumenta a saliência    │ │
│  │ • Resumo de conteúdos    │  │   de um referente        │ │
│  │ • Adição de informação   │  │ • Induz a construção     │ │
│  │   nova                   │  │   de um referente        │ │
│  │ • Argumentação           │  │ • Avaliativo             │ │
│  │ • Mudança de sentido     │  │                          │ │
│  │ • Acúmulo de significados│  │                          │ │
│  └──────────────────────────┘  └──────────────────────────┘ │
└─────────────────────────────────────────────────────────────┘
```

Retomarei essas funções quando adentrar a minha análise; antes, porém, incursiono por uma breve reflexão, nas seções seguintes, sobre algumas características que aproximam ou distinguem a DD das anáforas, e esclareço o porquê da minha visão semântico-discursiva e pragmática ao longo deste livro.

3.3 Considerações sobre dêixis discursiva e anáfora

Trato aqui, sem dissecar o assunto, da distinção entre anáfora e dêixis como uma forma de ilustrar e facilitar o entendimento e o desenvolvimento da pesquisa, porém, como já disse, sem a intenção nem a pretensão de resolver de vez tal discussão. A minha abordagem contempla estudos sobre o tema, como os de Lyons (1979), Levinson (2007 [1983]), Marcuschi e Calixto (1997); Marcuschi (2008); e Cavalcante (2000a; 2013).

A relação entre dêixis discursiva (DD) e anáfora é, de acordo com alguns estudos,[39] uma relação conceitual muito tênue, originando conflitos em relação ao que se trata de DD e o que se trata de anáfora. Cavalcante (2000a, p. 47) chama esses impasses de "conflitos terminológicos e delimitativos".

A DD é frequentemente confundida com as anáforas, podendo, segundo Cavalcante, ser considerada um processo anafórico, porque sempre estabelecerá uma cadeia com outro referente do texto. A autora explica isso dizendo:

> Quando são utilizados dêiticos textuais do tipo "o parágrafo anterior", por exemplo, dá-se um processo de retomada anafórica do referente que representa esse parágrafo. Especificamente neste caso, estamos diante de uma anáfora encapsuladora que desempenha também a função de dêitico textual, simultaneamente. [...] Não se deve concluir, apressadamente, que todo dêitico textual só ocorre, concomitantemente, com anáforas encapsuladoras. O objeto de discurso retomado pelo dêitico textual pode estar bem pontualizado, como qualquer anáfora correferencial. Isso acontece sempre que nos deparamos, por exemplo, com expressões como "a palavra seguinte", "o termo que acabei de citar" etc. (Cavalcante et al., 2014, p. 95).

Pensei em trazer à discussão algumas noções sobre anáforas devidamente atualizadas em Cavalcante et al. Segundo a autora, a anáfora, a introdução referencial e a dêixis, juntas, formam os chamados processos referenciais, que têm como finalidade última "colaborar para a construção da coerência/ coesão textual discursiva" (2014, p. 53).

A anáfora, especificamente, diz respeito a um processo de retomada, dando continuidade ao processo referencial. Existem vários tipos de anáforas e todas elas têm em comum a "propriedade de continuar uma referência de modo direto ou indireto" (p. 62).

Na literatura, as anáforas são classificadas em dois grandes grupos: o das anáforas diretas e o das anáforas indiretas. As primeiras, também

---

[39] Fillmore (1971) e Lyons (1977), repetidos por trabalhos posteriores (cf. Levinson (2007 [1983]), Apothéloz e Reichler-Béguelin (1995), Marcuschi (1995) e outros), citados em Cavalcante (2000a, p. 47).

chamadas de "correferenciais", são aquelas em que ocorrem situações de correferência ou de retomadas parciais, onde há processos de reativação de referentes prévios. As segundas, também chamadas de "associativas", são aquelas que, por não reativarem referentes, não estão vinculadas nem à noção de correferência nem à de retomada, e ainda introduzem um novo referente no discurso. Exemplo:

> **ENUNCIADO 68**
>
> **Cantor e compositor paraibano, nascido na localidade de Brejo do Cruz, tocador de viola e violão** desde criança, **Zé Ramalho** se tornou conhecido por suas canções apocalípticas. **Ele**, também, participou de várias trilhas de novelas. **Seu** primeiro disco foi lançado em 1978.

No enunciado 68, observamos que as retomadas são realizadas por meio de estruturas linguísticas diversas, como os pronomes "ele" e "seu" e os sintagmas nominais "cantor" e "compositor paraibano". Essas estruturas retomam um mesmo referente e por isso são consideradas anáforas diretas ou correferenciais.

Quando, por sua vez, a anáfora ativa um novo objeto de discurso, sem retomar o mesmo referente, mas introduzindo um novo, apresentado como já conhecido, ela é denominada anáfora indireta "em virtude de ser inferível por conta do processamento sociocognitivo do texto" (Cavalcante, 2013, p. 123).

Para Cavalcante (2002), as anáforas indiretas ou associativas constituem um processo referencial "em que um sintagma nominal engatilhador desencadeia um conjunto de associações apoiadas no conhecimento de mundo dos interlocutores, que respaldam o aparecimento de descrições definidas não correferenciais". A autora diz:

> Essas anáforas indiretas, embora não retomem exatamente o mesmo objeto de discurso, e aparentemente introduzam uma entidade "nova", na verdade remetem ou a outros referentes expressos no cotexto, ou a pistas cotextuais de qualquer espécie, com as quais se associam para permitir ao coenunciador inferir essa entidade (Cavalcante et al., 2014, p. 68).

Vejamos o enunciado trazido por Cavalcante et al. (2014, p. 69):

> **ENUNCIADO 69**
>
> Atentado à maratona de Boston de 2013 foi um atentado ocorrido em 15 de abril de 2013, quando duas bombas foram detonadas na Maratona de Boston aproximadamente às 14h50min (hora local), na Rua Boylston, perto da Praça Copley, na cidade de Boston, Estados Unidos, pouco antes da linha de chegada da prova que se desenrolava. **As explosões** mataram três pessoas e feriram mais de 170.
>
> Em 19 de abril, **os serviços de inteligência** informaram que dois suspeitos foram identificados como Tamerlan Tsarnaev, de 26 anos, que foi morto durante um tiroteio com policiais, e Dzhokar Tsarnaev, de 19 anos, capturado no dia 20. Os suspeitos, de origem muçulmana, são dois irmãos nascidos na Chechênia que viviam legalmente nos Estados Unidos desde 2003.

Em 69, segundo Cavalcante, as expressões em destaque "As explosões" e "os serviços de inteligência" aparecem pela primeira vez no texto e, por isso, parecem indicar novos referentes. Contudo, para a autora, não se pode dizer que elas dão origem a referentes novos, pois já se falou "atentado" e "bomba", e as expressões destacadas estão "fortemente associadas aos referentes previamente instaurados" e, por isso, estabelecem uma relação anafórica de forma indireta.

Cavalcante inclui, entre as anáforas indiretas, as anáforas encapsuladoras. Segundo a autora, nesse tipo de anáfora, um conteúdo textual é resumido por uma expressão referencial e incluem-se outros conhecimentos que temos sobre o que está sendo referido. Vejamos como exemplo:

> **ENUNCIADO 70**
>
> Muitos alunos resolveram fazer greve e paralisaram as suas atividades. **Essa questão** trouxe preocupação aos professores.

No enunciado 70, a expressão "Essa questão" encapsula um precedente no texto (a questão de os alunos resolverem fazer greve), transformando-o em objeto do discurso. Segundo Cavalcante, nessa espécie de "estratégia anafórica" não existe uma expressão precisa que encapsula o precedente, mas um tipo de referência difusa a todo o trecho encapsulado. Trata-se aqui da anáfora encapsuladora e é muito comum o uso dos pronomes demonstrativos nesse tipo de retomada.

Poderíamos nos questionar se a expressão "Essa questão" não poderia ser um DD. É aí que reside uma das tênues diferenças, a que já nos referimos, entre anáforas e dêixis. Para Cavalcante, "as expressões referenciais dêiticas tanto podem introduzir objetos de discurso, como podem retomá-los, assim como acontece, respectivamente, com as introduções referenciais e com as anáforas". A autora afirma que "anáfora e dêixis não são fenômenos mutuamente excludentes" (2013, p. 127 e p. 132).

Antes que se prossiga, convém retornar ao que advertem Cavalcante et al. (2014): devemos evitar a conclusão apressada de que todo DD ocorre sincronicamente com anáforas encapsuladoras; o objeto do discurso retomado pode, como acontece com as anáforas correferenciais, estar bem pontualizado.

Quanto a isso, Cavalcante traz o exemplo ilustrativo destacado a seguir:

> **ENUNCIADO 71**
>
> Acreditamos que a expressão "O impaciente francês", como parte de um outdoor, deve vir associada a uma imagem do carro que é tema da propaganda. Logo uma análise **dessa expressão**, dentro de uma perspectiva de estudo dos textos em uso, não pode esquecer isso, de modo que a aludida expressão atua não como uma **introdução referencial** (no sentido mais clássico desse termo, em que uma expressão é mencionada pela primeira vez no cotexto), mas como uma anáfora que recategoriza, linguisticamente, o carro apresentado na imagem.

As duas expressões destacadas são anáforas diretas ou correferenciais, pois retomam pontualmente um referente já introduzido. A expressão "O impaciente francês" é retomada por "dessa expressão" e desse termo retoma-se a expressão "introdução referencial". Nesse caso, as expressões em destaque funcionam também como dêiticos discursivos, por, segundo Cavalcante et al., apresentarem a característica "metadiscursiva de chamar a atenção do interlocutor, engajando-o e direcionando seu olhar para lugares do contexto" (2014, p. 96). Vejamos outro enunciado:

> **ENUNCIADO 72**
>
> O melhor emprego que ele arranjou foi o de gari numa cidade do interior. Foi **lá** que ele começou a sua brilhante carreira.

Retomando uma expressão cotextual (cidade do interior), o elemento "lá", que está em destaque no trecho, é anafórico, porém pode ser considerado também dêitico quando pressupomos que o falante está distante do local referido na expressão.

Cavalcante (2000a, p. 47), baseada nos estudos de Fillmore (1971), Lyons (1979) e em trabalhos posteriores, como os de Levinson (1983), Apothéloz e Reichler-Béguelin (1995) e Marcuschi e Calixto (1997), atribui dois critérios à caracterização dos dêiticos discursivos: a referência a porções difusas do discurso e a consideração do posicionamento do falante na situação enunciativa. E assim exemplifica a autora:

> **ENUNCIADO 73**
>
> *Isto posto*, e considerando tudo o mais que dos autos consta, decide a Quarta Junta de Conciliação e Julgamento do Recife, à unanimidade, julgar *totalmente procedente* a reclamatória, condenando-se a reclamada – S.E.C.R. –, a pagar, à demandante – A.C.G.R. –, no prazo de 48 horas, após a liquidação do julgado, todos os títulos deferidos **na fundamentação supra**, na forma e limites ali delineados, que passa a fazer parte integrante, do presente dispositivo.

No enunciado 73, a expressão "na fundamentação supra" recupera uma série de informações dispersas em trechos anteriores ao enunciado transcrito e localiza a informação num ponto anterior à última enunciação do falante, estatuindo-a como dêitica.

No enunciado seguinte, ao contrário, já se verifica a retomada de um referente pontualmente localizável:

> **ENUNCIADO 74**
>
> Mantém-se um núcleo comum e constante com estabilidade referencial que é "a lista", mas variam os elementos que compõem a descrição à esquerda ou à direita **desse núcleo**.

Explica Cavalcante que o anafórico "desse núcleo" se diferencia do dêitico discursivo destacado no enunciado anterior, "na fundamentação supra", "não apenas porque realiza uma referenciação pontualizada, senão também porque não deixa subentendida a posição do falante no 'tempo de formulação' como o momento preciso em que se dá o ato de fala". Entende-se, dessa forma, que a posição do falante, no enunciado da fundamentação supra, é dentro do contexto.

Com essas considerações, Cavalcante (2000a, p. 48) diz:

> O problema parece profundamente enraizado numa distinção antiga e mal resolvida entre anafóricos e dêiticos em geral. Sustenta-se, por exemplo, desde Bühler (1982), que, diferentemente dos anafóricos, os dêiticos em geral instauram um elo com a situação enunciativa. Mas o fato é que não somente é possível identificar anafóricos que observam as coordenadas dêiticas do falante (conforme se verá no exemplo 8), como também é frequente encontrar a situação oposta, em que certos dêiticos discursivos negligenciam a localização do enunciador ao remeterem a entidades discursivas.[40]

Concordo quando Cavalcante orienta que não se deve supor que "compete exclusivamente aos dêiticos monitorar a atenção dos interlocutores na comunicação, pois existem anafóricos compostos de sintagmas nominais contendo dêiticos que operam de modo análogo". Vejamos os enunciados trazidos pela autora (2000a, p. 50).

---

[40] O exemplo 8 citado neste trecho é o seguinte: "Como o céu se enche de estrelas, enche-se a terra de flores talvez ainda mais belas... São duma só cor **aquelas** e **estas** de todas as cores". Conde de Monsaraz, *Musa Alentejana*, p. 49. Ver Ferreira, 1986, p. 151.

> **ENUNCIADO 75**
>
> Curiosidades: 1. O que é de Helena? Faltou ela ou faltou dinheiro? 2. Por que 93 conseguiu ser um *"annus horribilis"* se só está na metade e, **se nesta referida metade**, tiveste o prazer e a honra de conviver com uma figura ímpar como *eu*? (E055, carta pessoal, Nelfe).

No enunciado 75, a autora lembra que o "anafórico 'nesta referida metade', apesar de realizar uma retomada pontual, exerce uma função refocalizadora, pois, mediante o pronome demonstrativo, o falante atrai a atenção do leitor para o objeto citado". Entende ainda Cavalcante que um recurso importante para a coerência do discurso, quando a referenciação requer maior capacidade inferencial, é focar o anafórico por meio de dêiticos. Como por exemplo:

> **ENUNCIADO 76**
>
> Mas a réplica do defensor David Bruck foi brilhante. Primeiro, ele tratou de comprovar que Susan Smith era ainda mais desequilibrada do que se imagina. O assassinato dos filhos não seria fruto do desejo de permanecer com o namorado e sim o resultado da busca desesperada por um pai. Em defesa de sua cliente, Bruck trouxe o testemunho de um dos maiores especialistas em insanidade do país e não viu problemas em revelar que ela manteve relacionamentos amorosos com o padrasto e com o pai de um namorado. **Essa "falta de uma referência paterna"** seria a causa da [sic] de perder o namorado (E017, artigo de revista, Nelfe).

No enunciado anterior, a expressão "essa falta de uma referência paterna", segundo a autora, "não resgata uma fonte determinada, mas se liga a certas pistas antecedentes ('busca desesperada por um pai' e 'relacionamentos amorosos com o padrasto e com o pai de um namorado')", e tudo isso induz ao "diagnóstico expresso pelo anafórico".

Reportando-se ainda às distinções entre dêixis e anáforas, Cavalcante assim declara:

> Alguns mitos da separação de dêixis e anáfora se destroem, com efeito, quando se deixa de reduzir os anafóricos ao pronome ele (ou zero) e às

expressões definidas; bem como quando se deixa de pensar os dêiticos como elementos de remissão exclusivamente extralinguística. As pesquisas sobre o assunto ou se limitaram a reflexões sobre dêixis e anáfora como fenômenos discursivos amplos (como as de Bühler, 1982; Benveniste, 1988; Lahud, 1979), ou, mesmo reconhecendo a dêixis discursiva, somente a opuseram ao anafórico ele, sujeitando-o, por vezes, à condição de correferencialidade (como nos estudos de Fillmore, 1971; Levinson, 1983; Ehlich, 1982). Não se ativeram, portanto, à consideração de outras possibilidades de anafóricos e de dêiticos discursivos, como as expressões que contêm dêiticos (cf. "expressões indiciais" em Cavalcante, 2000) [...]. Essas formas se incluem numa espécie de zona cinzenta, de contornos mal definidos, em que comumente se confundem as duas categorias em exame (2000a, p. 50).

Diante das considerações anteriores, entendo que ainda não há, entre os autores, um consenso sobre as distinções e definições entre anáfora e dêixis. Penso ainda que esse dia demorará a chegar. Alinho-me a Cavalcante quando ela diz que o nosso discurso é instável, pois existe, na situação comunicativa, um "processo dinâmico levado a efeito por sujeitos sociocognitivos" presentes no mundo. E é, a partir dessa instabilidade, que segundo a autora:

> Se fabricam os processos de introdução referencial e de anáfora em sentido amplo; e é no contínuo desses dois processos que se estabelecem os casos de dêixis. Tanto as introduções quanto as anáforas podem ser dêiticas ou não dêiticas, a depender de como se concebe o fenômeno da dêixis. Entendemos que, para um processo referencial ser considerado dêitico, ele precisa fazer apelo ao ponto de origem em que se situa o falante [...]. Assim sendo, se elegemos como critério primário a retomada de referentes no discurso, poderemos aceitar que a dêixis pode cruzar o caminho da anáfora e da introdução referencial, não as excluindo, mas inserindo nessa interseção uma soma de subjetividades (2013, p. 106).

Outro exemplo é carreado por Espíndola (2012, p. 52), demonstrando que anáfora e dêixis não são excludentes:

ENUNCIADO 77

Vim morar em João Pessoa em 1994; **aqui** construí minha vida profissional.

Nesse enunciado, o "aqui" é anafórico, pois retoma a expressão "João Pessoa", e, ao mesmo tempo, é um dêitico, pois se pressupõe que o lugar "onde o falante se encontra está próximo ao local referido na expressão". Assim sendo, o "aqui", comumente classificado dentre os advérbios de lugar, funciona como dêitico e como anafórico.

Como se pode perceber, de acordo com os autores estudados até aqui, existe uma tênue diferença entre os processos referenciais anafóricos e dêiticos que nos permite e incentiva a lançar futuros olhares sobre a comparação desses processos referenciais.

3.4 Dêixis: semântica ou pragmática?

Entendo que nos estudos sobre a dêixis cabe uma discussão rápida sobre se o fenômeno está mais no âmbito semântico ou no pragmático. Por isso, reflito nesta seção acerca de: sob quais olhares se pode estudar a dêixis nesses ramos da linguística? Semântica ou pragmática?

Inicialmente, ressalto que deparei com uma barreira quando me debrucei sobre esse tema. Trata-se de uma espécie de "fronteira pragmática" (retomando aqui uma expressão de Rajagopalan, 1999, p. 323). O autor lembra que tal estudo é difícil, pois corresponde a um "terreno pantanoso" que enverada por noções como "contexto" e, para ele, a noção de contexto é "complexa e cabeluda" (p. 325).

Com efeito, essas considerações me levam a lançar um olhar que engloba também um viés pragmático sobre o fenômeno da dêixis. Como já havíamos ressaltado, Levinson (2007 [1983]) chama a atenção para as "muitas facetas da dêixis", pelos seus aspectos convencionais do significado como uma parte essencial da semântica. Contudo, para o autor, assim como para Rajagopalan (1999) e outros, a dêixis "pertence ao domínio da pragmática porque diz respeito diretamente à relação entre a estrutura das línguas e os contextos em que elas são usadas" (p. 67).

Castilho diz que "As expressões dêiticas selecionam obrigatoriamente a significação pragmática. Sem a dêixis e o eixo que ela organiza no discurso, não há discurso" (2012, p. 122). O autor entende que a referência dos dêiticos está no discurso, na situação comunicativa social concreta envolvendo os interlocutores, e não apenas nas palavras expressas pelos termos dêiticos (eu, este/esse, aqui, hoje, você, amanhã, aquele lá, outrora etc.).

Por outro lado, Ilari (2000, p. 130) defende que os dêiticos pertencem ao domínio da semântica, sem desprezar a importância e o papel da pragmática.

> Em resumo, a regra básica de interpretação das expressões dêiticas consiste em procurar sua referência no contexto em que são produzidos os enunciados linguísticos que as contêm, e a **semântica**, concebida como uma análise do sentido inerente às expressões (em oposição às suas ocorrências) ficaria impossibilitada de explicar esse procedimento interpretativo [...] um estudo especificamente voltado para os elementos da interpretação que se originam no contexto: é a esse estudo que ele chama de **pragmática** [...] Nessa definição de **pragmática**, os fatores contextuais e mais particularmente a dêixis têm um papel preponderante...

Oliveira e Basso fazem uma observação interessante, lembrando que "os dêiticos constituem, de fato, um caso problemático", no sentido de definir se seu estatuto é semântico, pragmático ou ambos. Há, segundo esses autores, até quem ache desnecessário o conceito de dêixis.

> Se, por exemplo, tomamos o manual de semântica de Heim & Kratzer (1998), veremos que a única passagem sobre dêixis entende que esse conceito é desnecessário, porque ele pode ser subsumido pelo conceito de anáfora. As autoras argumentam que a separação clássica entre dêiticos e anáforas não é necessária porque em ambos os casos temos uma função de atribuição de valor para a variável que será contextual. À semântica cabe a descrição da função, e, uma vez atribuído um valor para a variável, o estabelecimento das relações semânticas que daí advém [sic]; mas a atribuição do valor é pragmática (2007, p. 7).

A análise do fenômeno linguístico referencial "dêixis" desemboca no estudo da linguagem em contexto e leva em consideração as dimensões psicológicas, sociais e culturais que envolvem uma situação discursiva interativa, isto é, na pragmática. Todavia, está claro o papel da descrição de funções e sentidos com o uso da dêixis.

Para os autores Vilela e Koch, os elementos da referência não podem ser interpretados semanticamente por si mesmos, mas remetem a outros itens do discurso necessários à sua interpretação:

Como o texto é a unidade básica de interação/comunicação humana observou-se a importância de ir além da abordagem sintático/semântica, impondo-se a Pragmática, que estuda a descrição das ações em que os usuários da língua, em situações de interlocução, realizam através da linguagem, considerada como atividade intencional e social, visando a determinados fins (2001, p. 453).

Levinson se refere à dêixis como um fenômeno que "pertence ao domínio da pragmática e da semântica, ou seja, está em cima de ambas as fronteiras" (2007 [1983], p. 66). Rajagopalan (1999) coloca reconhecidamente o fenômeno da dêixis entre os pertencentes ao campo da pragmática.

Marcuschi e Calixto, se reportando às categorias da dêixis, dizem que elas deixam claro que "a dêixis é um aspecto essencial da **pragmática** e da **semântica** e tem a ver essencialmente com a atividade referencial" (1997, p. 163).

Considerando o que foi exposto, defendo que, para a realização de uma profícua leitura do contexto referente ao texto jurídico, faz-se necessário lançar mão de instrumentos semânticos e, em determinados momentos, de elementos pragmáticos, como, por exemplo, as inferências contextuais, as quais ajudam a construir a significação de determinados enunciados e situar os participantes da situação real comunicativa dentro do tempo e do espaço textuais. Também lembro a importância da metadiscursividade como um conjunto de estratégias "pelas quais os locutores se projetam no texto assinalando suas intenções comunicativas" (Cavalcante et al., 2014, p. 154).

Sendo assim e levando-se em consideração as dificuldades para se posicionar nesse tênue limite entre semântica e pragmática, prefiro me filiar a uma visão híbrida, semântico-discursiva e pragmática, pois trato da descrição de funções e sentidos com o uso e o funcionamento dos DDs nas SJCs sem, no entanto, deixar de considerar a existência dessa hibridez.

Passo a tratar no próximo capítulo dos aspectos metodológicos da minha pesquisa, seguidos pela análise do *corpus*.

4

PROCEDIMENTOS METODOLÓGICOS, ANÁLISE E DISCUSSÃO DOS RESULTADOS

Neste capítulo, dou continuidade à proposta de investigação, retomando a estrutura da pesquisa, reapresentando o *corpus* e a metodologia e abordando também os critérios e as categorias de análise. Inicialmente, faço a delineação do *corpus*: como ele se constitui e qual a sua justificativa. Em seguida, proponho uma discussão sobre o gênero sentença judicial cível (SJC), sua importância, suas partes e suas características. Na sequência, explico como se deu a coleta de dados. Depois, catalogo e descrevo em quadros os fragmentos de sentenças judiciais (FSs), destacando os elementos DDs e realizando a análise de acordo com os objetivos da pesquisa desenvolvida neste livro. Por fim, discuto os resultados obtidos.

4.1 *Corpus* e abordagem metodológica

Como já disse, o *corpus* desta pesquisa é formado por treze sentenças judiciais cíveis (SJCs).

A sentença judicial é um gênero textual pertencente ao domínio discursivo jurídico, produzido e emitido pelos magistrados, e, segundo Montenegro Filho, sentenças judiciais são "pronunciamentos do juiz resultantes de seu livre poder de decidir" (2009, p. 497). Mouzalas diz que a sentença "é o ato processual em que o juiz expressa a vontade do Estado" (2011, p. 499).

O Código de Processo Civil Brasileiro (Lei Federal nº 13.105, de 16 de março de 2015, com início de vigência em 18 de março de 2016) reza que: "Art. 203. Os pronunciamentos do juiz consistirão em sentenças, decisões interlocutórias e despachos". No parágrafo primeiro (§ 1º), assim preleciona o Código: "sentença é o pronunciamento por meio do qual o juiz, com fundamento nos arts. 485 e 487, põe fim à fase cognitiva do procedimento comum, bem como extingue a execução".

Assim, a SJC põe fim a uma relação dialógica processual porque o magistrado, por meio dela, encerra e decide o processo em determinado instante, enunciando sua convicção e utilizando a linguagem (Caraciola, 2009).

Proferidas no segundo grau ou segunda instância, as sentenças recebem o nome de "acórdãos".

> O magistrado, ao pronunciar-se, ou, mais restritivamente, ao proferir um ato decisório, enuncia a sua convicção e procura convencer, devendo, pois, ater-se ao uso adequado da linguagem, por meio de uma seleção lexical apropriada, atentando com o significado das palavras empregadas; valendo-se, pois, ao "confeccionar" o texto, de proposições úteis, pertinentes e claramente ordenadas (Caraciola, 2009, p. 1).

A SJC é também um pronunciamento jurisdicional elaborado pelos juízes que visa ao impulso e ao julgamento dos processos no âmbito do Poder Judiciário. A SJC possui um conteúdo formal e outro material: o primeiro segue a forma expressa nos procedimentos processuais, enquanto o segundo conteúdo diz respeito aos fatos, às provas e às partes envolvidas. O meio adequado para se insurgir à sentença, ante o inconformismo da parte com o resultado obtido, é o "recurso processual". Para cada caso existe um tipo de recurso, abrindo, assim, à parte inconformada, a possibilidade do duplo grau de jurisdição, ou seja, a análise daquele conflito de interesse não mais por apenas um juiz, mas por um tribunal formado por turmas de juízes.

A sentença judicial é um documento jurídico que contém um juízo, formado por um raciocínio crítico, "mediante o qual o órgão do Poder Judiciário elege, entre as razões do autor e do réu (ou, até mesmo, de um terceiro), a solução que lhe parecer mais ajustada ao direito e à justiça" (Couture, 1966, p. 155).

A SJC possui alguns requisitos, tais como: os nomes das partes ou, quando não possível, as indicações necessárias para identificá-las; a exposição sucinta da acusação e da defesa; a indicação dos motivos de fato e de direito em que se fundar a decisão; a indicação dos artigos de lei aplicados; o dispositivo; a data e a assinatura do juiz.

Outros textos produzidos pelos juízes antes da decisão final (acórdãos e sentenças) são os "despachos de mero expediente" e as "decisões interlocutórias", como sequenciados na figura 1.

Figura 1. Espécies de textos escritos produzidos pelo juiz

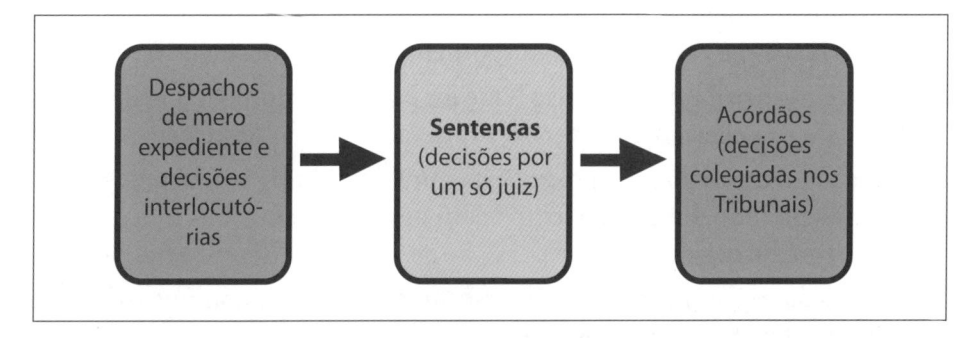

Despachos de mero expediente e decisões interlocutórias → Sentenças (decisões por um só juiz) → Acórdãos (decisões colegiadas nos Tribunais)

Em sua tese de doutorado, Freitas explica a importância das sentenças judiciais:

> O direito só pode ser imaginado em função do homem em sociedade; também é impossível pensá-lo sem a linguagem, por isso é imprescindível a relação linguagem-direito. Este depende daquela para que se exteriorize e se manifeste social e culturalmente. O direito surge para solucionar conflitos de interesse principalmente por meio das decisões praticadas pela linguagem escrita dos juízes. [... A Sentença] é um gênero discursivo escrito [...] como a Legislação, a Petição Inicial, a Contestação, o Recurso, o Acórdão (2008, p. 13).

As SJCs, tecnicamente, têm três partes:

Figura 2. Partes da SJC

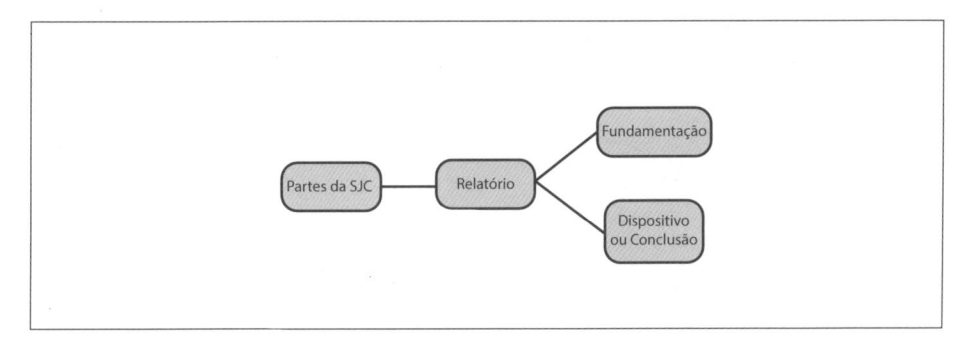

Partes da SJC — Relatório — Fundamentação / Dispositivo ou Conclusão

O "relatório" é a parte da SJC em que o juiz retoma a qualificação dos litigantes e faz um resumo dos pedidos e das respostas, sem se antecipar no julgamento da causa. Nessa parte da sentença, o juiz narra, de forma sucinta, os atos e os fatos do processo.

Na "fundamentação", o magistrado analisa as questões de fato e de direito, podendo também usar trechos de outras sentenças. A fundamentação é o lugar das justificativas legais e dos argumentos técnicos e subjetivos do juiz.

No "dispositivo" ou "conclusão", que é a parte mais importante da SJC, o juiz prolata sua decisão, resolvendo a questão posta ao Judiciário.

Para efeito da análise proposta nesta obra, incluímos também os relatórios,[41] trabalhando da mesma forma com as fundamentações e os dispositivos ou conclusões das SJCs.

Depois da triagem das sentenças, chegamos ao *corpus*, composto de treze SJCs, dispostas da seguinte maneira:

Quadro 1. Fontes de pesquisa das SCJs

FONTE DE PESQUISA DAS SJCs	Nº DE SJCS	TIPOS DE AÇÃO
Sentenças publicadas em revista oficial do Fórum Cível da comarca de João Pessoa, na Paraíba.	5	■ Ação de reconhecimento de união homoafetiva (5ª Vara de Família). ■ Ação ordinária de abstenção de marca com perdas e danos (5ª Vara Cível). ■ Ação revisional de alimentos (6ª Vara de Família). ■ Ação de modificação de guarda (4ª Vara de Família). ■ Ação de indenização por danos morais (11ª Vara Cível).

(continua)

---

[41] O relatório é a parte mais canônica da SJC. O juiz não foge do padrão em que são feitos os relatórios. Nos relatórios, consta apenas um resumo do processo, apresentando os nomes e a qualificação das partes (autor e réu), o pedido, a defesa e o registro de procedimentos técnicos dentro da ação. Na minha pesquisa dei preferência às outras partes da SJC, sem, no entanto, excluir os relatórios.

(continuação)

FONTE DE PESQUISA DAS SJCs	Nº DE SJCS	TIPOS DE AÇÃO
Sentença publicada em processo tramitado em Vara Cível da comarca de João Pessoa, na Paraíba. Acesso público em cartórios do Fórum Cível.	1	■ Ação declaratória de nulidade de procuração pública (1ª Vara Cível).
Sentenças de outros estados do Brasil (Pernambuco; Goiás; São Paulo; Sergipe; Rio Grande do Sul; Pará). Sentenças de domínio público disponibilizadas nos *sites* dos tribunais dos respectivos estados.	7	■ Ação de expropriação (20ª Vara Federal de Pernambuco). ■ Mandado de segurança (Vara Federal de Goiás). ■ Ação popular com pedido de antecipação de tutela (3ª Vara Federal de Bauru/SP). ■ Ação civil pública (1ª Vara Federal de Sergipe). ■ Ação indenizatória (13ª Vara Cível, Foro Central, Porto Alegre/RS). ■ Ação civil pública (8ª Vara Cível de Santarém/PA). ■ Ação ordinária (Justiça Federal do Paraná).

Fonte: elaborado pelo autor a partir do *corpus*.

4.1.1 Categorias de análise

Diante da hipótese levantada – de que, nas SJCs, existe uma significativa recorrência de DDs que exercem diversas funções, como as de ordenação, focalização, categorização e argumentação – e com base no aparato teórico, tomei como categorias de análise as funções dos DDs encontradas em Cavalcante (2000a), já explicitadas no item 3.2.5.1. Reitero que a autora está embasada e fundamentada teoricamente nos trabalhos de Fillmore (1971), Lyons (1979), Lahud (1979), Levinson (1983), Benveniste (1989), Apothéloz e Reichler-Béguelin (1995), Apothéloz e Chanet (1997), Marcuschi e Calixto (1997) e Koch (1997).

Dessa feita, as categorias de análise são:[42]

(i) Função de **ordenação** – denomino, aqui, os DDs "DDs ordenadores" (DDOs).

Os DDOs são aqueles que recuperam uma série de informações dispersas em trechos anteriores ao enunciado transcrito, localizando a informação em um ponto anterior à última enunciação do falante.

Portanto, funcionam na orientação aos interlocutores e na organização textual. Podem aparecer também encapsulando conteúdos.

(ii) Função de **focalização** – convenciono denominar os DDs, nessa função, "DDs focalizadores" (DDFs).

Os DDFs cumprem a função de gerar "focos" de atenção. Como já vimos, a focalização é uma operação cognitiva que se baseia numa orientação prévia comum aos interlocutores, a fim de conduzir o olhar do interlocutor para determinado objeto de discurso, que pode ser identificado tanto no espaço dêitico real (situação real da interlocução) quanto no espaço metaforizado do texto (espaço físico distante da posição real dos interlocutores).

(iii) Função de **categorização** – convenciono denominar os DDs, nesse uso, "DDs categorizadores" (DDCs).

Os DDCs resumem conteúdos proposicionais, categorizando-os pela estratégia de nominação (pp. 53-54), ou seja, sintagma nominal normalmente introduzido por pronome.

Como já constatei, as categorizações evidenciam "uma estratégia muito particular dos dêiticos discursivos: a de rotular segmentos textuais". Os rótulos funcionam como "recursos de organização", realizam "remissões retrospectivas" e são sempre precedidos de um dêitico específico "(este, aquele, esse, tal etc.)". Os rótulos também executam a função de conectar sequências textuais, provocando "mudanças de direção na construção dos sentidos". Outro papel desempenhado pelos DDs rotuladores é o de contribuir para "a acumulação de significados no discurso", seja simplesmente "resumindo conteúdos", seja "aditando" informações novas (Cavalcante, 2000b, p. 54).

---

[42] Os exemplos estão no quadro 3 do capítulo "A dêixis".

(iv) Função de **argumentação** – resolvo denominar os DDs, nesse uso, "DDs argumentativos" (DDAs).

Os DDAs provocam *flashes* de atenção dos interlocutores por meio de demonstrativos, aumentando o poder de persuasão dos argumentos. Esses DDs têm a capacidade de aumentar a "saliência local" de um referente e o poder de "induzir a construção de um referente de acordo com o propósito argumentativo" do locutor.

Descrevo então, na figura 3, as categorias de análise que foram escolhidas para esta pesquisa.

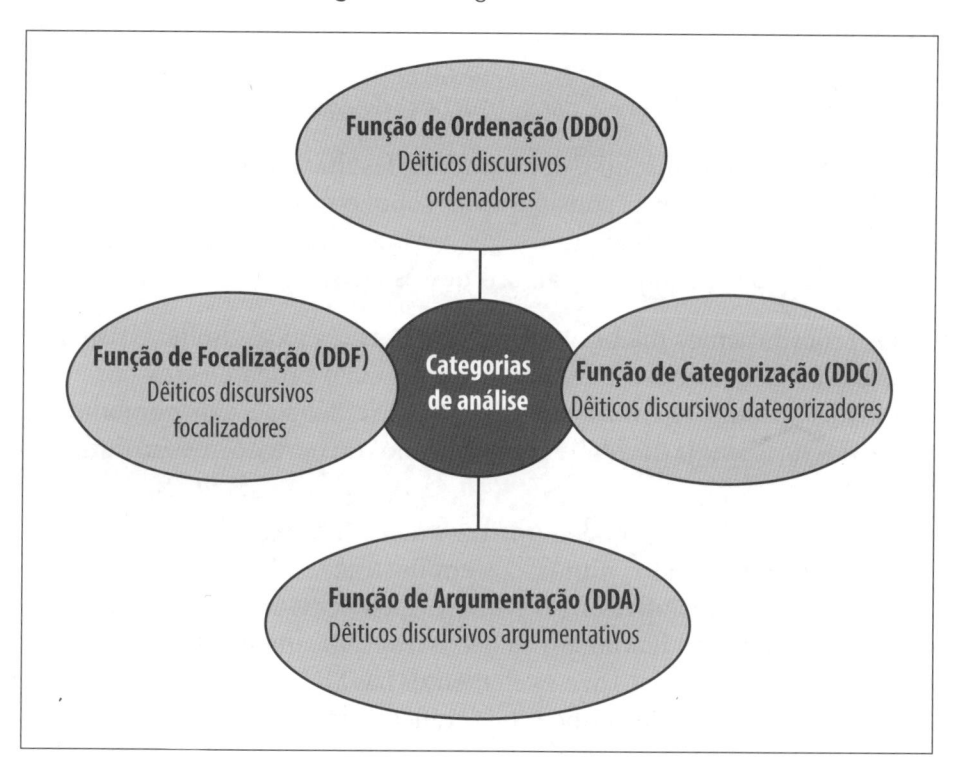

Figura 3. Categorias de análise

- **Função de Ordenação (DDO)** — Dêiticos discursivos ordenadores
- **Função de Focalização (DDF)** — Dêiticos discursivos focalizadores
- **Categorias de análise**
- **Função de Categorização (DDC)** — Dêiticos discursivos dategorizadores
- **Função de Argumentação (DDA)** — Dêiticos discursivos argumentativos

4.1.2 Metodologia

Em relação ao itinerário metodológico, adotei os seguintes passos:

(i) Enumerei as SJCs de 1 a 13.

(ii) Fiz um levantamento sequencial (ou seja, uma sentença após a outra) dos fragmentos textuais das sentenças judiciais (SJCs),[43] destacando os elementos DDs.

(iii) Em seguida, elenquei os DDs encontrados nos FSs e os descrevi em quadros.

(iv) Realizada a identificação dos DDs, procedi à análise qualitativa desses elementos à luz do referencial teórico concebido nessa pesquisa, a fim de investigar os diversos usos (funções) desses DDs.

(v) Posteriormente, discuti e apresentei os resultados alcançados a partir da análise, tecendo as considerações sobre o funcionamento e a maior recorrência dos DDs identificados. Verifiquei também a intersecção de funções que encontrei em alguns desses DDs.

Os procedimentos metodológicos foram observações diretas e sistemáticas das SJCs, e a amostra atingida é do tipo não probabilística por acessibilidade, levando-se em consideração a conveniência e a disponibilidade dos textos jurídicos já devidamente publicados ou pertencentes ao domínio público.

Ressalto ainda que, para demonstrar e discutir os resultados, utilizo, em alguns momentos, dados numéricos em ilustrações. Entretanto, reafirmo que a pesquisa é qualitativa e interpretativa, pois, à luz do referencial teórico, procura interpretar o fenômeno da dêixis, especificamente da DD, além de buscar demonstrar os usos desses elementos nas SJCs. O trabalho é também descritivo, analítico e de cunho bibliográfico e documental.

Em seguida, analiso separadamente cada SJC e descrevo e catalogo dados que me possibilitaram fazer um levantamento da presença de DDs nos FSs.

---

[43] Partes do texto escrito das SJCs onde encontramos os DDs exercendo as diversas funções.

4.2 Análise de dados

Na análise de dados, começo pela descrição dos FSs das SJCs escolhidas para compor o *corpus*. Em seguida, realizo o levantamento (mapeamento) dos DDs encontrados nesses fragmentos, destacando-os em negrito e sublinhado.

Logo após essa etapa, parto para a análise propriamente dita, tecendo as considerações teóricas pertinentes a fim de investigar, nas SJCs, os usos dos DDs, de acordo com as funções tomadas como categorias de análise: função de ordenação – dêiticos discursivos ordenadores (DDOs); função de focalização – dêiticos discursivos focalizadores (DDFs); função de categorização – dêiticos discursivos categorizadores (DDCs); função de argumentação – dêiticos discursivos argumentativos (DDAs).

Levanto, posteriormente, quais deles ocorrem de forma mais expressiva e quais funções podem aparecer como funções coocorrentes, ou seja, aquelas que, em algum momento, surgem conjunta e simultaneamente com outra função nos DDs. Faço esse levantamento utilizando as expressões dêitico--discursivas por inteiro, a exemplo de "nos termos em que foi proposto" e "nas lides postas".

Não me preocupei com uma análise gramatical mais aprofundada, visto que, além de não ser este o objetivo da pesquisa, a abordagem paira, de forma central, sobre os aspectos semântico-discursivos e pragmáticos dos elementos dêiticos discursivos.

Buscando, nesta seção, articular o referencial teórico com a análise, procurei retomar, dos capítulos 2 e 3 do livro, aspectos que considero essenciais à pesquisa. Em seguida, parti para uma discussão dos resultados encontrados na minha investigação.

Inicialmente, lembro um levantamento feito pelo saudoso Marcuschi e por Calixto, em que destacam, com base em sessenta textos da língua escrita, a expressiva presença de elementos dêiticos. Os teóricos verificam a ocorrência de DDs nos textos pesquisados, comparando-a com a presença de dêiticos temporais e espaciais. Marcuschi e Calixto constataram que os DDs são "mais abundantes que os dêiticos temporais", significando que "há uma necessidade muito maior de organizar os quadros referenciais do próprio texto suplantando, em muito, as coordenadas temporais" (1997, p. 164). Com essas considerações, chegam à seguinte conclusão:

E se olharmos alguns gêneros textuais em particular, veremos que isto aumenta ainda mais. Estes textos em que se exacerba a presença de DD, tais como os **textos jurídicos** e a maioria dos textos científicos, revelam uma característica muito importante, ou seja, eles se preocupam de maneira acentuada com questões formais do discurso. Estabelecem grande quantidade de relações de uma parte discursiva com outra e precisam **orientar** o leitor quanto a isso.

Assim, em seu estudo, Marcuschi e Calixto incluem os textos jurídicos entre os que "apresentam o maior número e variedade de DD. São eles também os que mais buscam orientar o leitor na sua relação com o próprio conteúdo do texto".

Dessa forma, passo a analisar as expressões dêitico-discursivas recortadas dos fragmentos textuais das treze SJCs pesquisadas.

4.2.1 Análise da sentença judicial cível 01 (SCJ 01) – fragmentos textuais

AÇÃO DE RECONHECIMENTO DE UNIÃO HOMOAFETIVA
FS 01 – "[...] ambas qualificadas nos autos, por intermédio de seu advogado devidamente habilitado, intentou **a presente ação** de reconhecimento de união estável, sob as alegações **abaixo expendidas**: Alegam as promoventes, em síntese, que convivem há mais de 14 (quatorze) anos em perfeita harmonia e compatibilidade de afinidades. **Assim sendo**, ante a possibilidade de reconhecimento de **tal relação** em face do permissivo legal e jurisprudencial aplicável ao caso concreto, buscam [...]."
FS 02 – "Como se vê, a diversidade de sexos é exigência legal e constitucional, não se podendo reconhecer como união estável a convivência entre pessoas do mesmo sexo. Por **essa razão**, assevero a impossibilidade do acolhimento do pleito das promoventes **nos termos em que foi proposto**."
FS 03 – "Desse modo, buscando fugir da formalidade excessiva e contribuindo para uma aplicação jurisdicional mais justa e serena **nas lides postas** à apreciação **desse juízo**, é que faço uso do princípio da fungibilidade da forma, porquanto o importante para o direito, enquanto instrumento de justiça, é justamente fazer justiça, torná-la efetiva, alcançar o fim, sendo o meio, a forma, o instrumento para tanto."

ELEMENTOS DÊITICOS DISCURSIVOS NOS FS DA SJC 01
FS 01 – "a presente ação"; "abaixo expendidas"; "assim sendo"; "tal relação".
FS 02 – "essa razão"; "nos termos em que foi proposto".
FS 03 – "nas lides postas"; "desse juízo".

Analisando os DDs encontrados na SJC 01, destaco: "a presente ação"; "abaixo expendidas"; "assim sendo"; "tal relação"; "essa razão"; "nos termos em que foi proposto"; "nas lides postas"; e "desse juízo".

Passemos a análise sequencial dos DD encontrados.[44]

- **"A presente ação"** – nessa expressão, constato que o DD retoma toda a porção textual da ação processual em curso, criando foco de atenção comum aos interlocutores e exercendo a função de focalização (DDF). Segundo Cavalcante (2000a), essa proposta da noção de focalização parte de estudos Ehlich (1982) e serve para designar uma atividade de orientação prévia comum aos interlocutores. Entendo que o locutor gera um foco de atenção conduzindo o olhar dos interlocutores às informações diluídas no texto (nesse caso, o texto da própria ação em curso). Inexiste, nesse caso, um termo que seja pontual, particular, que sirva de antecedente para o DD.

- **"Abaixo expendidas"** – nessa expressão, encontro o DD "abaixo" cumprindo o papel de localizador espacial da porção textual a ser vista pelos interlocutores da SJC a fim de encontrarem quais "alegações" estão sendo feitas pelas partes. Para Cavalcante (2000a), os DD "marcam com mais exatidão o lugar de certos conteúdos no espaço gráfico do texto". Entendo que o DD analisado aqui serve de orientação para o interlocutor identificar o que vem a ser expresso prospectivamente no cotexto, indicando que as "alegações" feitas pelas promoventes da ação são: conviver há mais de catorze anos; perfeita harmonia nessa convivência; compatibilidade de afinidades entre as promoventes da ação. Sendo assim, o considero como DD que, precipuamente, exerce

---

[44] Em todas as SJCs analisadas, negritamos as funções dos DDs a fim de destacar os usos encontrados. Lembramos que algumas expressões, por apresentarem as mesmas características, serão analisadas conjuntamente, haja vista o uso de considerações idênticas ou semelhantes.

a função de ordenação (DDO), usado como orientador dos interlocutores e organizador textual. Encontro aqui também uma característica de focalização (DDF), pois marca com mais exatidão o lugar de certos conteúdos no espaço gráfico do texto.

- **"Assim sendo"** – a expressão funciona, nesse contexto, como DD. Continuando a leitura do texto, encontramos o enunciado "ante a possibilidade de reconhecimento", que indica a previsibilidade do locutor (juiz) de reconhecer o pedido de união estável feito pelas partes na ação. Entendemos que, ao usar o DD "assim sendo", o locutor constrói um referente com o "propósito argumentativo". Segundo Duarte (2002a), em expressões assim, "percebe-se o caráter avaliativo", ou seja, o juiz prevê uma possibilidade de reconhecimento do pedido inicial. A expressão "assim sendo" aumenta o poder de convencimento do juiz, por isso entendemos que exerce a função de argumentação, tratando-se de um DD argumentativo (DDA). Ao mesmo tempo, "empacota" as informações, imprimindo-lhes um novo ponto de argumentação que está sendo desenvolvido à medida que apresentam um caráter resumidor e argumentativo. É, por isso, usado também como resumidor de conteúdo.

- **"Tal relação"** – verifico, nessa expressão, uma reelaboração anafórica[45] onde se retomam as porções "união estável" e "convivência entre pessoas do mesmo sexo". Nesse caso, a expressão, mesmo sendo anafórica, exerce também a função dêitica de ordenação, consistindo em um DD ordenador (DDO). Esse DD aponta para uma porção textual prévia, sendo que, conforme Cavalcante, "não resgata uma fonte determinada, mas se liga a certas pistas antecedentes" (2000a, p. 50), daí o caráter de DD. Entendo ainda que essa expressão pode ser utilizada com a função de categorização (DDC) por meio da rotulação. Esse uso põe em evidência, como já reportei, uma estratégia muito particular dos dêiticos discursivos – a de rotular segmentos textuais. O segmento rotulado foi todo o texto que se refere à "relação". Lembremos que os rótulos funcionam, da mesma forma, como recursos de organização quando realizam remissões retrospectivas.

- **"Essa razão"** – esse DD exerce uma função demonstrativa que refocaliza os argumentos do juiz (locutor) de uma porção textual anterior, aproximando também os interlocutores do tempo de produção do texto. "Como se vê,

---

[45] Lembremos o estreito liame entre anáforas e dêixis.

a diversidade de sexos é exigência legal e constitucional, não se podendo reconhecer como união estável a convivência entre pessoas do mesmo sexo." O encapsulamento atribui uma força "ilocutória" (Cavalcante, 2000b, p. 54) ao DD em análise, e, com base na informação anterior, apresenta um referente novo para as porções textuais retomadas. De acordo com Cavalcante, um DD como esse promove uma recategorização *ad hoc*. Entendo, assim, que trata-se de um DD categorizador (DDC). O DD em análise também é resumidor, porque encapsula e recupera um conteúdo textual, assim adquirindo a função de ordenação textual, orientação e organização, características de um DDO.

- **"Nos termos em que foi proposto"** – essa expressão reflete uma noção de aproximação ao início do pedido (petição inicial). Para se entender o que foi proposto, levam-se em consideração informações anteriores presentes no processo, ou seja, há um deslocamento dos interlocutores ao momento do pedido inicial das promoventes. Nesse caso, o DD reinventa o espaço e o tempo. Enxergo, nesse DD, a função de retomar ou focalizar elementos precedentes, no caso, os termos pontuais do pedido inicial, indicados na propositura da ação processual. Temos, assim, a função de focalização (DDF). Vislumbro aqui a concepção trazida por Benveniste (2005 [1979]), sobre a qual já fiz referência no capítulo 2 desta obra, quando o autor diz que a dêixis consegue organizar, entre si, pessoa, tempo e espaço, situando esses elementos em um contexto enunciativo específico, instaurando uma relação permitida pelo locutor entre o enunciado e a enunciação. Essa retomada propiciada pelo DD gera focos de atenção comuns aos interlocutores. Também encontro aqui a função de encapsulamento. Esse uso como focalizador desenvolve também um papel metacognitivo, como já observei, por criar uma perspectiva comum e preferencial de observação, aumentando assim a saliência discursiva do referente "termos propostos".

- **"Nas lides postas"** – nessa expressão, encontro elementos de referência puramente exofórica, ou seja, o DD remete a outras ações ou lides que já foram submetidas à apreciação desse mesmo ambiente judiciário ou juízo (fenômeno polifônico, já que ocorre em outros casos).[46] De acordo

---

[46] Ressalte-se que, para ajudar a nossa observação, não tratarei, na minha análise, da argumentação linguística nem especificamente da Polifonia de Ducrot, conforme encontramos referência em Espíndola (2004, p. 69).

com Marcuschi (2008), esse tipo de processo referencial, como já vimos, faz referência a um elemento contextual externo ao texto, e, ainda para o autor, a referência exofórica "comprova a reciprocidade da interação entre o uso da linguagem e a situação desse uso, que atualiza as estratégias de recepção [*interlocução*]... A exófora depende do contexto". (Marcuschi, 2008, p. 110). Por esse uso, os DDs cumprem função de gerar "focos" de atenção. Ocorre, nesse caso, uma operação cognitiva que se apoia numa orientação prévia comum aos interlocutores, a fim de conduzir o olhar do interlocutor para um determinado objeto de discurso (as lides postas à apreciação). Esse objeto do discurso pode ser identificado tanto no espaço dêitico real (situação real da interlocução) quanto no espaço metaforizado do texto (espaço físico distante da posição real dos interlocutores). Entendo, assim, que o DD em observação exerce a função de focalização (DDF). Não obstante essas considerações, vejo aqui também o uso da argumentação (DDA), pois existe a continuidade do enunciado, trazendo informação nova ao texto, não categorizando, mas demonstrando o poder que esses elementos têm de induzir a construção de um referente novo de acordo com o propósito argumentativo do locutor. Como vemos no FS 03, o juiz locutor diz que busca "fugir da formalidade excessiva" e contribui "para uma aplicação jurisdicional mais justa e serena" nas lides que são postas à apreciação daquele juízo.

- **"Desse juízo"** – a expressão, deiticamente, aponta o local onde está acontecendo a apreciação das lides e resume conteúdos proposicionais, categorizando-os pela estratégia de nominação por meio de um SN. Entendo tratar-se de um DD com função de categorização (DDC). Também exerce a função de focalização (DDF), criando para os interlocutores focos de atenção em relação ao espaço físico da situação discursiva, ou seja, sobre em qual instância ou vara judiciária está sendo submetida a ação (Duarte, 2002a).

4.2.2 Análise da sentença judicial cível 02 (SJC 02) – fragmentos textuais

AÇÃO ORDINÁRIA DE ABSTENÇÃO DE MARCA COM PERDAS E DANOS
FS 01 – "Tendo o arquivamento do nome comercial do promovido precedido em quase oito anos, quando, sequer, a autora, na época, falava em prestação de serviços de ensino e educação de qualquer natureza e grau, esta só faz jus à propriedade do uso de marca, no tocante aos serviços de caráter comunitário, filantrópico e beneficente. Se o réu não exerce **esse ramo de atividade**, mas o de preparação de estudantes candidatos aos cursos de vestibular, supletivo, primeiro e segundo grau e congêneres, se afastando, portanto, das pesquisas e estudos científicos, inexiste a similitude [...]."
FS 02 – "Ultrapassada a questão, quanto ao mérito, sem razão da promovente, se revela [...]. **A tese posta**, portanto, não possui o menor amparo [...]."
ELEMENTOS DÊITICOS DISCURSIVOS NOS FSs DA SJC 02
FS 01 – "esse ramo de atividade".
FS 02 – "a tese posta".

Analisando os DDs encontrados na SJC 02, destacamos: "esse ramo de atividade" e "a tese posta".

Passemos à análise sequencial dos DDs.

- "**Esse ramo de atividade**" – caracteriza uma coocorrência de um DD com uma anáfora do tipo encapsuladora. Na seção 3.3 deste trabalho, mencionei alguns aspectos da anáfora. Naquele momento, constatei que a DD é frequentemente confundida com as anáforas, podendo, segundo Cavalcante et al. (2014, p. 24), ser considerada um processo anafórico, porque sempre estabelecerá uma cadeia com outro referente do texto. Funcionando como DD, a expressão analisada recupera, encapsulando, a porção do texto "serviços de ensino e educação [...] de caráter comunitário, filantrópico e beneficente". Há, nesse caso, uma aproximação do locutor com uma porção textual antecedente no cotexto. Esse DD também funciona como resumidor de conteúdo anterior. Em meu entendimento, estamos diante do uso DD como elemento, predominantemente, de ordenação (DDO).

O DD resume conteúdos proposicionais, também promovendo a categorização pela estratégia de nominação (Cavalcante, 2000a, p. 49). O pronome "esse" destaca a estratégia de rotular segmentos textuais. Os rótulos realizam remissões retrospectivas e são sempre precedidos de um dêitico específico. Nesse caso, o pronome "esse". Cavalcante explica que "o demonstrativo" guia o interlocutor numa espécie de busca retroativa da entidade referida.

Ao apontar um "ramo de atividade" (elementos externos), como diversas atividades equiparadas à prestação de serviços de ensino e educação, o DD cria um vínculo entre o cotexto e a situação enunciativa (contexto) e, ao mesmo tempo, introduz uma informação nova, atribuindo a essa expressão um caráter avaliativo. Surgem aí, no meu entendimento, atividades de argumentação (DDA). Vejamos que a expressão "ramo de atividade" dá ao locutor o poder de induzir a construção de um referente de acordo com o seu propósito argumentativo de persuasão ou de convencimento (que, no caso, nos leva a avaliar que o locutor quer demonstrar, especificamente, aquele ramo de atividade).

- **"A tese posta"** – constato, neste caso, tratar-se de um DD que recupera toda a porção anterior da SJC, encapsulada, que trata da tese posta ou dos argumentos apresentados na propositura da ação processual. Essa expressão, além de promover uma arrumação textual, cumpre uma função de orientação aos interlocutores, fazendo com que eles estabeleçam uma perspectiva cotextual dentro da situação enunciativa (Marcuschi e Calixto, 1997). Defendo que se trata de um DD com função de categorização (DDC), visto que o DD dá um nome à porção textual retomada. O DD também funciona como resumidor de conteúdos textuais retrospectivos não individualizados. Daí a sua deiticidade.

4.2.3 Análise da sentença judicial cível 03 (SJC 03) – fragmentos textuais

AÇÃO REVISIONAL DE ALIMENTOS
FS 01 – "A par **do exposto**, é da essência da minha pauta profissional pedir, todos os dias, a Deus que eu faça, sempre, 'da minha pena não o estilete que fere, mas a seta que assinala a trajetória da lei, no caminho da Justiça'... Pois bem! Seguindo o meu ofício judicante **na linha traçada acima**, buscando aplicar corretamente o direito... E aí? Daí que é primário que o autor de uma ação... **Nessa senda**, a jurisprudência firmada a respeito da matéria está consolidada no sentido de... **Isto posto**, julgo improcedente o pedido de revisão..."
ELEMENTOS DÊITICOS DISCURSIVOS NOS FSs DA SJC 03
FS 01 – "do exposto"; "na linha traçada acima"; "nessa senda"; "isto posto".

Analisando os DDs encontrados na SJC 03, evidencio as expressões: "do exposto"; "na linha traçada acima"; "nessa senda" e "isto posto". Passemos, assim, à análise dos DDs encontrados.

- "**Do exposto**" e "**isto posto**" – essas expressões DD remetem à porção textual antecedente a ser encontrada. Elas apontam também para o próprio enunciado em relação à situação discursiva real. É o que Marcuschi chama de "estratégias de compreensão" (2008, p. 194). O locutor (juiz) faz referência a todo o conteúdo anterior já exposto. Com isso, ele encadeia o seu raciocínio, a fim de chegar à decisão da ação por meio da SJC. A partir dos postulados de Levinson (2007 [1983]), Marcuschi e Calixto (1997) e Cavalcante (2000a), constato a referencialidade que pode ser identificada nas expressões em tela, visto que, certamente, recuperam, apontam, fazem referência a uma porção textual-discursiva dentro do cotexto e ativam esse processo de referencialidade.

Duarte (2002a) diz que sintagmas nominais como "isto posto" e "do exposto", exercem função de mudança de tópico e, para Catunda (2009), esse DD em análise relativiza o processo de retomada na medida em que a informação referida não está pontualizada, mas diluída no discurso precedente ou antecedente. Tudo isso nos leva a constatar que se trata de um DD com função de focalização (DDF). De acordo com as minhas categorias de análise, elencadas e escolhidas tomando como base os estudos de Cavalcante (2000a), essas expressões se constituem em rótulos, que encapsulam, recuperam ou resumem conteúdos ou partes textuais anteriores. Por isso, são usadas também como encapsuladoras e resumidoras.

- **"Na linha traçada acima"** – encontramos aqui uma expressão DD própria dos discursos escritos, composta pelo advérbio "acima". Analisando a expressão como um todo, verifico que ela, anaforicamente, encapsula parte do discurso proferido pelo juiz na SJC, pois a "linha traçada" não se trata apenas de uma linha, mas de uma retomada de porção textual anterior ("[...] pedir, todos os dias, a Deus que eu faça, sempre, 'da minha pena não o estilete que fere, mas a seta que assinala a trajetória da lei, no caminho da Justiça'... Pois bem! Seguindo o meu ofício judicante [...]").

  Espíndola observa que um DD como esse analisado refere-se "a uma posição no discurso anterior à última posição do locutor, considerando o texto (discurso) em sua posição vertical" (2012, p. 53). O DD se encontra cumprindo o papel de localizador espacial da porção textual a ser vista pelos interlocutores da SJC, a fim de encontrarem quais as linhas traçadas e a que elas se referem.

  Por isso, considero esse DD um executor da função de ordenação (DDO). Ao usar o dêitico acima, a expressão também assume uma característica de focalização, pois ele marca com mais exatidão o lugar de certos conteúdos no espaço gráfico do texto ("acima"). Nesse caso, também é focalizador (DDF).

- **"Nessa senda"** – particularmente nas SJCs e no domínio discursivo jurídico, a expressão significa percurso processual ou caminho legal e jurisprudencial (senda processual).

  Nas categorizações, encontramos os rótulos (Cavalcante, 2000a). Esses elementos rotuladores realizam "remissões retrospectivas" e são sempre precedidos de um dêitico específico (neste caso: "essa"). Como já observei anteriormente, outro papel desempenhado pelos DD rotuladores é o de contribuir para "a acumulação de significados" no discurso, seja simplesmente "resumindo conteúdos", seja "aditando" informações novas. Nesse diapasão, entendo que aqui se trata da função de categorização (DDC).

4.2.4 Análise da sentença judicial cível 04 (SJC 04) – fragmentos textuais

AÇÃO DE MODIFICAÇÃO DE GUARDA
FS 01 – "Não se perca de vista a circunstância, segundo a qual a mãe, convive diuturna mente com as crianças, repreendendo-os, incitando-os ao estudo, à prática de bons hábitos e obediência ao regramento da convivência social e caseira. **Dita missão**, é muito árdua, **papel este** que geralmente ninguém executa, com superior eficiência e natural sabedoria do que a mãe, a menos que seja isenta de princípios éticos e entregue à devassidão dos costumes, contrárias aos padrões medianos de moralidade, **circunstâncias estas** que não configuram a hipótese dos autos."
FS 02 – "Espinhosa, por isso, a tarefa de resolver, **em tal conjuntura**, a quem mais bem deve caber a guarda dos filhos... **O fato em testilha**, atesta ter ficado convencionado,... De outra banda, manuseando detidamente os autos, à luz de **toda prova produzida**, não vejo benefício algum para as crianças... Óbvio, contudo, que também **aqui** a prova precisa ser muito consistente..."
ELEMENTOS DÊITICOS DISCURSIVOS NOS FSs DA SJC 04
FS 01 – "dita missão"; "papel este"; "circunstâncias estas".
FS 02 – "em tal conjuntura"; "o fato em testilha"; "toda prova produzida"; "aqui".

Analisando os DDs encontrados na SJC 04, mapeamos os seguintes: "dita missão"; "papel este"; "circunstâncias estas"; "em tal conjuntura"; "o fato em testilha"; "toda prova produzida" e "aqui". Vamos à análise desses DDs encontrados.

- **"Dita missão"** – o DD se refere à missão das mães de conviver "diuturnamente com as crianças, repreendendo-os, incitando-os ao estudo, à prática de bons hábitos e obediência ao regramento da convivência social e caseira". O termo poderia ser substituído por "essa missão" ou por "aquela missão" sem trazer prejuízo ao sentido da proposição. Essa função é a de categorização (DDC), exercida por um DD que, realizando remissões, rotula segmentos textuais, que estão sempre precedidos de um dêitico específico (aqui, implicitamente, "essa dita"). Os rótulos, de acordo com o que já investiguei, também funcionam como recursos de organização, portanto encontro aqui também o uso do DD como ordenador (DDO).

- **"Papel este"** e **"circunstâncias estas"** – tratam-se de expressões com a mesma função, e, sendo assim, faço uma análise conjunta. Esses DDs são usados para exercer a função de categorização (DDCs). Já constatei que, por esse uso, os DDs resumem conteúdos proposicionais, categorizando-os pela estratégia de nominação (Cavalcante, 2000a), ou seja, como pronome ou como sintagma nominal. Também visualizo aqui a função de ordenação (DDO), pois há a recuperação de conteúdos textuais que localizam o interlocutor bem próximo às porções textuais recuperadas. O DD "papel este" se refere à "missão da mãe", e o DD "circunstâncias estas" se refere às circunstâncias "contrárias aos padrões medianos de moralidade". Se analisarmos mais um pouco o fragmento, veremos que existem intenções argumentativas (DDA) por parte do locutor, pois há conteúdos avaliativos, como: "papel este", que se refere à missão da mãe de cuidar dos filhos, missão que, para o locutor, é "árdua" e "espinhosa", e ninguém executa "com superior eficiência e natural sabedoria do que a mãe".

- **"Em tal conjuntura"** – funciona retrospectivamente e direciona a seleção de partes anteriores do discurso. Ocorrem, nesse caso, *flashes* de atenção dos interlocutores, propiciados pelo locutor, que induz à construção de um referente de acordo com o seu propósito argumentativo. Isso se dá por meio do DD, que, na SJC em estudo, encapsula trechos do discurso e traz um conteúdo avaliativo. O juiz (locutor), quando se refere à "tal conjuntura" em que está julgando a ação, já anuncia que será "espinhosa, por isso, a tarefa de resolver, a quem mais bem caber a guarda dos filhos", configurando uma estratégia dêitica de referenciação (Cavalcante, 2013). Por isso, entendo como DD com função de argumentação (DDA). O poder de persuasão dos argumentos, comum nos textos escritos, é reforçado pelos *flashes* de atenção dos interlocutores.

  Ainda constato, nesse DD, a presença da função categorizadora (DDC) Essa categorização se dá por meio de rótulos. Recordo que esses rótulos funcionam como recursos de organização, porque realizam remissões retrospectivas e são sempre precedidos de um dêitico específico "(este, aquele, esse, tal etc.)".

- **"O fato em testilha"** – essa expressão DD faz referência ao "fato" (acontecimento) que está sendo analisado juridicamente. Portanto, recupera porções difusas do discurso, com funções também de resumir e encapsular, considerando a localização dessas partes do texto em andamento. Considero esse DD um DD ordenador (DDO). Aqui também se promove a categorização por meio da rotulação. Os rótulos funcionam como "recursos de organização", realizam "remissões retrospectivas". Diante disso, consideramos também esse DD um DD categorizador (DDC).

- **"Toda prova produzida"**[47] – aqui, estamos diante de uma expressão típica nos processos judiciais, que remete a um conteúdo disperso, antecedente ou consequente à posição do locutor, e por isso mesmo se caracteriza como uma expressão DD. O juiz (locutor) intenciona demonstrar que já analisou todas as provas produzidas no processo, e com isso constrói e encapsula o referente, apelando para um conhecimento compartilhado dos interlocutores. Essa expressão DD recupera uma série de informações dispersas em trechos anteriores ao enunciado transcrito, localizando a informação em um ponto anterior à posição do falante.

  Portanto, o DD serve de ordenação (DDO), orientado aos interlocutores e promovendo a organização textual.

  Pode ser considerado, também, argumentativo (DDA), pois, nesse caso, o locutor induz à construção de um referente, de acordo com o seu propósito argumentativo (demonstrar que vai decidir de acordo com "as provas produzidas" no processo).

- **"Aqui"** – constitui um DD pois exerce uma função demonstrativa, reforçando a localização dêitica no texto das informações referidas (Cavalcante, 2000a). Quando o locutor (juiz) diz: "Óbvio, contudo, que também **aqui** a prova precisa ser muito consistente...", ele se refere a e focaliza o "aqui", ou, em outras palavras, "neste processo", "nesse caso", "nessa ação", "nesses autos" etc.

  Marcuschi e Calixto (1997) e Espíndola (2012) lembram que a expressão "aqui" designa um lugar textual, e não um espaço físico propriamente dito. Pois bem, dessa forma, o DD chama a atenção do interlocutor, criando um foco de atenção e exercendo a função de focalização (DDF).

---

[47] O termo "provas produzidas" remete às provas que foram trazidas ao processo, tais como depoimentos, testemunhas, perícias, documentos e outras evidências admitidas no direito.

4.2.5 Análise da sentença judicial cível 05 (SJC 05) – fragmentos textuais

AÇÃO DE INDENIZAÇÃO POR DANOS MORAIS
FS 01 – "À peça preambular fora anexado exemplar do jornal onde foram divulgadas **as mencionadas informações**. Regularmente citados, os réus contestaram a ação, pugnando pela improcedência do pedido."
FS 02 – "O Primeiro promovido, Jornal Correio da Paraíba, asseverou em sua peça defensiva, em síntese, não assistir razão ao autor, eis que **a matéria em questão** fora divulgada de modo imparcial e técnico [...]."
FS 03 – "Saliente-se que o exercício da liberdade de expressão e informação, mediante meios de vasta divulgação social, exige extrema cautela, não devendo, porém, ultrapassar os limites impostos pelo dever informar com responsabilidade, sendo de rigor a preservação da honra alheia, evidentemente atacada quando imputados fatos delituosos à ação do governo pelo autor dirigido, em meio de comunicação de ampla disseminação. **Tal inobservância** constitui ato ilícito por excelência, ensejando a reparação pelos danos morais dele decorrentes."
FS 04 – "**Nesse tom**, o escopo ressarcitório encontra suporte em duas vertentes... **Nesse panorama**, vale observar que o valor arbitrado na indenização não tem o escopo de gerar enriquecimento ilícito do promovente..."
ELEMENTOS DÊITICOS DISCURSIVOS NOS FSs DA SJC 05
FS 01 – "as mencionadas informações".
FS 02 – "a matéria em questão".
FS 03 – "tal inobservância".
FS 04 – "nesse tom"; "nesse panorama".

Analisando os DDs encontrados na SJC 05, delineio os seguintes: "as mencionadas informações"; "a matéria em questão"; "tal inobservância"; "nesse tom"; e "nesse panorama". Vamos à análise desses DDs.

- **"As mencionadas informações"** – esse DD exerce a função de gerar "focos" de atenção. Assim, estamos diante da função de focalização (DDF). Esse uso se dá por meio de uma "operação cognitiva" que se baseia numa orientação prévia comum aos interlocutores, a fim de conduzir o olhar do interlocutor para um determinado objeto de discurso (as "mencionadas informações"), que pode ser identificado, nesse caso, no espaço dêitico real (situação real da interlocução). Nessa função, os DDs também exercem um "papel metacognitivo", ou seja, criam "uma perspectiva comum e preferencial de observação discursiva" (Marcuschi, 1997, p. 158, citado por Cavalcante, 2000a, p. 49).

Simultaneamente, encontramos aqui a função ordenadora (DDO), orientando os interlocutores sobre o conteúdo anteriormente textualizado (as informações já mencionadas).

- **"A matéria em questão"** – essa expressão DD faz referência à "matéria" (que tipo de direito) que está sendo analisada judicialmente. O DD recupera porções difusas do discurso, com funções de resumir e encapsular partes do texto em andamento. Considero esse um DD ordenador (DDO). Vislumbro nele um uso que também promove a categorização por meio da rotulação, porque realiza remissões retrospectivas à espécie de assunto processual (matéria) tratado anteriormente. Diante disso, considero-o também um DD categorizador (DDC).

- **"Tal inobservância"** – como já constatado em expressão semelhante ("tal relação", na SJC 04) anteriormente analisada, esse DD funciona retrospectivamente e direciona a seleção de partes anteriores do discurso. Acontecem os *flashes* de atenção dos interlocutores, promovidos pelo locutor. Um referente é construído de acordo com o seu propósito argumentativo. Isso se dá por meio do DD que, na SJC em estudo, encapsula trechos do discurso e traz um conteúdo avaliativo. O juiz (locutor), quando se refere a "tal inobservância", induz que não se deve deixar de observar e:

> ultrapassar os limites impostos pelo dever de informar com responsabilidade, sendo de rigor a preservação da honra alheia, evidentemente atacada quando imputados fatos delituosos à ação do governo pelo autor dirigido, em meio de comunicação de ampla disseminação.

Esse DD configura uma estratégia dêitica de referenciação (Cavalcante, 2013) e, por isso, o entendo como DD com função de argumentação (DDA). O poder de persuasão dos argumentos, comum nos textos escritos, é reforçado pelos *flashes* de atenção dos interlocutores.

Observo também a presença da função categorizadora (DDC). Essa categorização se dá por meio de rótulos (observar limites impostos) que funcionam como recursos para resumir conteúdos a partir dos quais se toma um novo encaminhamento direcionado pelo locutor (juiz).

- **"Nesse tom"** e **"nesse panorama"** – nesse uso, os DDs cumprem função de gerar os "focos" de atenção e exercem a focalização (DDFs). Há uma orientação prévia comum aos interlocutores a fim de conduzir seus olhares a um determinado objeto de discurso identificado no espaço metaforizado do texto (espaço físico distante da posição real dos interlocutores).

Continuando a leitura do texto, encontramos conteúdos proposicionais avaliativos: "Nesse tom o escopo ressarcitório encontra suporte em duas vertentes... Nesse panorama, vale observar que o valor arbitrado na indenização não tem o escopo de gerar enriquecimento ilícito do promovente...". Entendo que, ao usar os DDs, o locutor constrói um referente com um propósito argumentativo, e percebo o caráter avaliativo dos DDs, exercendo a função de argumentação (DDA). Ao mesmo tempo, encapsulam as informações, imprimindo-lhes um novo ponto de argumentação que está sendo desenvolvido à medida que apresentam um caráter resumidores e argumentativo. São, por isso, usados também como resumidor do conteúdo. Essas expressões também acumulam a função de proporcionar e permitir a organização do espaço do texto e facilitar a orientação do interlocutor dentro dele, cumprindo a função de ordenação (DDO).

4.2.6 Análise da sentença judicial cível 06 (SJC 06) – fragmentos textuais

AÇÃO DECLARATÓRIA DE NULIDADE DE PROCURAÇÃO
FS 01 – "No mérito, cumpre atestar a normalidade processual e o regular trâmite do feito, ressaltando que **a lide em comento** não necessita de mais provas a serem produzidas em audiência, **e por isso**, nos moldes do requerido pelas partes, deve ser julgada de forma antecipada... **Nesse contexto**, impõe-se fazer um quadro sinótico das situações esboçadas na inicial, senão vejamos [...]."
ELEMENTOS DÊITICOS DISCURSIVOS NOS FSs DA SJC 06
FS 01 – "a lide em comento"; "e por isso"; "nesse contexto".

Analisando os DDs encontrados na SJC 6, listamos os DD: "a lide em comento"; "e por isso"; "nesse contexto".

Partamos para a análise dessas expressões.

- **"A lide em comento"** – semelhante à expressão "a matéria em questão", analisada na SJC 05, esse DD aponta para todo o discurso expresso na ação judicial e sinaliza um conteúdo encapsulado anteriormente. A característica dêitica se faz presente pelo vazio de referência textual e remete ao conhecimento, por parte dos interlocutores, do modelo processual (tipo de ação, procedimento) judicial usado até o presente momento no processo em análise ("No mérito, cumpre atestar a normalidade processual e o regular trâmite do feito, ressaltando que **a lide em comento** não necessita de mais provas a serem produzidas em audiência, e por isso, nos moldes do requerido pelas partes"). O DD recupera porções difusas do discurso, com funções de resumir e encapsular partes do texto em andamento. Considero esse um DD ordenador (DDO). Como ressaltei na análise anterior, vislumbro também nesse DD a função de categorização por meio da rotulação (o rótulo aqui é a própria ação ou lide em comento). Esse uso promove a organização do texto e a efetiva remissão retrospectiva. Diante disso, considero também esse um DD categorizador (DDC).

- **"E por isso"** – a expressão, de acordo com Cavalcante (2000a), recupera (resumindo) uma série de informações dispersas em trechos anteriores ao enunciado transcrito. Nesse caso, o DD, no meu entendimento, é utilizado com a função argumentativa (DDA), pois constrói um referente com um propósito de reforçar um argumento anterior. O DD encapsula o conteúdo "não necessita de mais provas a serem produzidas em audiência", que indica a previsibilidade do locutor (juiz) de não precisar de mais provas processuais. Ao mesmo tempo, o DD encapsula informações (a não necessidade de mais produção de provas), imprimindo um novo ponto de argumentação do locutor.

- **"Nesse contexto"** – a expressão DD se refere à situação interlocutiva e encapsula e resume todo o conteúdo textual produzido pelo locutor na SJC. Esse DD serve de orientador (DDO), a fim de se conhecer a localização do locutor para se estabelecer o espaço contextual. O DD também exerce um papel metacognitivo, ou seja, cria uma perspectiva comum e preferencial de observação discursiva. Com essa característica, o DD pode ser considerado também categorizador (DDC).

4.2.7 Análise da sentença judicial cível 07 (SJC 07) – fragmentos textuais

AÇÃO DE EXPROPRIAÇÃO
FS 01 – "O estado de Pernambuco informou não ter qualquer interesse **no feito** (fl. 224). Deu-se a habilitação dos sucessores dos expropriados falecidos (fls. 279/280), os quais, de sua parte, ofereceram contestação intempestiva (fls. 302/313) [...]. Por meio de réplica, todos **os termos da inicial** foram ratificados (fls. 295/300)."
FS 02 – "Entre as técnicas para assegurar a observância da ideia de controle do 'quadro de legalidade' **acima mencionado**, insere-se aquela que prevê regras de admissibilidade e exclusão de determinados meios de provas. Dessa forma, em algumas hipóteses, é lícito ao legislador estabelecer a adequação do meio de prova pertinente à espécie do fato ou da relação jurídica, para, por exemplo, negar-lhe a admissibilidade, ou, diversamente, impô-la."
FS 03 – "Tecidas **essas considerações necessárias**, e após empreender uma análise detida dos fólios, tenho que os elementos que instruíram a petição inicial – (01) autos de apreensão e de incineração (fls. 16/17); (02) o relatório de situação do imóvel (fl. 18); (03) relatório técnico (fls. 20/22); e (04) certidão do cartório de Registro de Imóveis (fls. 28/28-v) – constituem prova suficiente da argumentação de fato sujeita à cognição."
FS 04 – "**No caso sub examine**, os expropriados chamam a atenção para o fato de que a Fazenda Remanso, inserida na Gleba Jatobá, é composta por vários lotes agrícolas, de maneira que, segundo os seus pontos de vista, o confisco jamais poderia se restringir ao Lote n.º 47, mas, sim, à integralidade da referida gleba, em conformidade com o manso entendimento jurisprudencial acima colacionado. Cenário que levaria à expropriação de não apenas aos vários lotes inseridos na Fazenda Remanço, mas também várias outras fazendas, que se agrupam na referida Gleba Jatobá."
ELEMENTOS DÊITICOS DISCURSIVOS NOS FSs DA SJC 07
FS 01 – "no feito"; "os termos da inicial".
FS 02 – "acima mencionado".
FS 03 – "essas considerações necessárias".
FS 04 – "no caso sub examine".

Analisando os DDs encontrados na SJC 7, temos: "no feito"; "os termos da inicial"; "acima mencionado"; "essas considerações necessárias"; "no caso sub examine".

Seguimos com a análise dessas expressões.

- **"No feito"** – o DD, nesse fragmento, retoma toda a porção textual da ação processual em curso. Como na expressão "a presente ação", o DD cria um foco de atenção comum aos interlocutores, exercendo a função de focalização (DDF). Como vimos, segundo Cavalcante (2000a), essa proposta da noção de focalização parte dos estudos de Ehlich (1982) e serve para designar uma atividade de "orientação prévia comum aos interlocutores". Entendo que o locutor gera um foco de atenção para o texto da própria ação em curso, conduzindo o olhar dos interlocutores às informações diluídas anteriormente no texto. Inexiste, nesse caso, um termo que seja pontual, particular, que sirva de antecedente para o DD. A expressão também funciona como orientadora (DDO), pois recupera uma série de informações. Somado a isso, entendo que também é encapsuladora, pois resume todo um conteúdo proposto (o feito).

- **"Os termos da inicial"** – esse DD exerce a função de gerar "focos" de atenção. Assim, estamos diante da função de focalização (DDF). Esse uso se dá por meio de uma "operação cognitiva" que se baseia numa orientação prévia comum aos interlocutores, a fim de conduzir o olhar do interlocutor para um determinado objeto de discurso (os "termos da inicial"), que pode ser identificado, nesse caso, no espaço dêitico real (situação real da interlocução). Esses DDs exercem um "papel metacognitivo", ou seja, criam "uma perspectiva comum e preferencial de observação discursiva" (Marcuschi, 1997, p. 158, citado por Cavalcante, 2000a, p. 49).

Simultaneamente, encontro aqui a função ordenadora (DDO), orientando os interlocutores sobre o conteúdo anteriormente já textualizado (as informações já mencionadas).

- **"Acima mencionado"** – trata-se de expressão DD própria dos discursos escritos ("acima"). Verifico o encapsulamento de parte do discurso do locutor, que provoca uma retomada de porção textual anterior – "as técnicas para assegurar a observância da ideia de controle do 'quadro de legalidade'". Espíndola (2012) observa que DDs como esse analisado referem-se "a uma posição no discurso anterior à última posição do locutor, considerando o texto (discurso) em sua posição vertical". O DD se encontra cumprindo o papel de localizador espacial da porção textual a ser vista pelos interlocutores da SJC, a fim de encontrarem quais "as linhas traçadas" e a que "elas" se referem. Com isso, considero esse DD como executor da função de ordenação (DDO).

A expressão também assume o papel de focalização (DDF), pois marca com mais exatidão o lugar de certos conteúdos no espaço gráfico do texto ("acima").

Como vimos anteriormente, essa função de focalização, de acordo com Cavalcante (2000a), citando Apothéloz e Reichler-Béguelin (1995), organiza o espaço do texto, facilitando, assim, a orientação do interlocutor. Para a autora, expressões como "acima" marcam com mais exatidão o lugar de certos conteúdos no espaço gráfico do texto.

Vejo aqui, concomitantemente, a função de argumentação (DDA), pois, complementando a expressão DD, aparece a frase "insere-se aquela que prevê regras de admissibilidade e exclusão de determinados meios de provas", na minha ótica, de conteúdo avaliativo e de propósito argumentativo. A argumentação, na forma que a concebo nessa minha pesquisa (retórica), está tanto na expressão DD como na continuidade do discurso, porém esse uso se acentua na expressão DD analisada.

- **"Essas considerações necessárias"** – esse DD é usado para exercer a função de categorização (DDC). Por esse uso, a expressão resume conteúdos proposicionais, categorizando-os pela estratégia de nominação (Cavalcante, 2000a), ou seja, como pronome ou como sintagma nominal. Também realiza uma remissão retrospectiva, como de costume, precedida de um dêitico específico ("essas"). Presencio aqui a função de categorização por meio de toda a expressão ("essas considerações necessárias"). Visualizo também a função de ordenação (DDO), pois há a recuperação de conteúdos textuais que localiza o interlocutor bem próximo às porções textuais recuperadas. O DD se refere a "considerações necessárias" apontadas no texto. Se analisarmos mais um pouco o fragmento, veremos que existem intenções argumentativas por parte do locutor, pois há conteúdos avaliativos, como a missão "árdua" e "espinhosa" da mãe ao cuidar dos filhos, missão que, para o locutor, ninguém executa "com superior eficiência e natural sabedoria do que a mãe".

- "**No caso sub examine**" – semelhante às expressões: "lide em comento" e "a matéria em questão", essa expressão aponta para todo o discurso expresso na ação judicial e encapsula uma porção anteriormente localizada. A característica dêitica se faz presente pelo vazio de referência textual e remete ao conhecimento, por parte dos interlocutores, de toda a ação em curso. O DD recupera porções difusas do discurso, com o papel de resumir e encapsular partes do texto em andamento. Dessa forma, considero esse DD ordenador (DDO).

Como ressaltei na análise anterior, enxergo também a função de categorização por meio da rotulação, pois o rótulo "caso" é um nome de significado genérico e se aplica a uma ampla variedade de conteúdos. Toda a ação é o "caso" que está sendo examinado (Cavalcante, 2000a). Esse rótulo promove a categorização *ad hoc* no texto e efetiva uma remissão retrospectiva. Diante disso, considero também esse um DD categorizador (DDC).

4.2.8 Análise da sentença judicial cível 08 (SJC 08) – fragmentos textuais

MANDADO DE SEGURANÇA
FS 01 – "O Ministério Público Federal manifestou-se em 14/01/2011, deixando de ingressar no exame do mérito. Vieram **os autos** conclusos para sentença."
FS 02 – "Os atos cooperados típicos, é necessário que se esclareça, compreendem apenas aqueles praticados entre a cooperativa e seus cooperados, ou entre aquela e outras cooperativas. Por outro lado, não se inserem no conceito de 'atos cooperativos' aqueles praticados entre a cooperativa e terceiros, razão pela qual sofrem a incidência das contribuições questionadas. **Nesse rumo**, os seguintes precedentes do TRF 1ª Região e do e. STJ..."
FS 03 – "**Assim**, a liminar pleiteada deve ser deferida, **nesse ponto**, para suspender a exigibilidade das contribuições incidentes sobre os denominados atos cooperados típicos."

(continua)

(continuação)

FS 04 – "Ao julgar caso semelhante, entendi que em face dos antecedentes legais existentes a respeito da matéria e o tratamento **até então** dispensado pelo fisco ao produtor-vendedor nesse tipo de comercialização, era razoável concluir-se que a intenção do legislador constituinte foi a de que a imunidade prevista no dispositivo constitucional **acima citado** alcançasse também as receitas decorrentes de exportação indireta."
FS 05 – "Não obstante os argumentos expostos pela autoridade impetrada, na fase de sentença não vislumbro razão para modificar o entendimento **anteriormente adotado**. Esclareço que o RE 598085 RG / RJ, em que se discute a questão da constitucionalidade da revogação da isenção concedida pela LC n. 70/9, ainda está pendente de julgamento.   **Nesse rumo**, a segurança deve ser parcialmente concedida à impetrante. [...] Em face **do exposto**, confirmada a liminar, concedo parcialmente a segurança."

ELEMENTOS DÊITICOS DISCURSIVOS NOS FSs DA SJC 08
FS 01 – "os autos".
FS 02 – "nesse rumo".
FS 03 – "assim"; "nesse ponto".
FS 04 – "até então"; "acima citado".
FS 05 – "anteriormente adotado"; "nesse rumo"; "do exposto".

Analisando os DDs encontrados na SJC 08, citamos os DD: "os autos"; "nesse rumo"; "assim"; "nesse ponto"; "até então"; "acima citado"; "anteriormente adotado"; "do exposto".

Vamos analisá-los.

- "**Os autos**" – essa expressão DD recupera porções difusas do discurso, com funções de resumir e encapsular, considerando, nesse caso, a totalidade do processo. O DD "os autos" aponta para o próprio local do texto produzido pelo juiz (locutor) e mostra a distância avaliada no tempo/espaço textual. Refere-se às peças judiciais constantes da Ação Judicial, como: a petição, a contestação, os termos de depoimento de testemunhas, os documentos etc. Logo, percebe-se que há uma noção de proximidade do locutor e do texto, mantendo, como demonstrei acima, o subjetivismo próprio da dêixis. Considero esse um DD ordenador (DDO).

Aqui também se promove a categorização por meio da rotulação. A expressão "os autos" é considerada um tipo particular de linguagem e, por isso, entendo que ela seja um rótulo (nome metalinguístico). Lembro que os rótulos funcionam como recursos de organização, elementos que operam remissões retrospectivas. Diante disso, considero também esse DD categorizador (DDC).

- **"Nesse rumo"** – esse DD funciona como rotulador. A presença do pronome "esse" constitui um nome metalinguístico (Cavalcante, 2000a), que, por sua vez, rotula uma extensão discursiva, a exemplo de: "nesse caminho", "nessa senda", "nessa circunstância", "nessa posição". A expressão dêitica "nesse rumo" se insere na função de categorização (DDC). Os rotuladores, como já vimos, são considerados encapsuladores por recuperarem ou resumirem conteúdos ou partes textuais. A palavra "rumo" serve como rótulo, pois dá sequência ao argumento desenvolvido. Constitui uma soma de argumentos e exerce a função argumentativa (DDA), pois encapsula conteúdos proposicionais avaliativos. O locutor constrói um referente com um propósito argumentativo. Ao mesmo tempo, encapsula as informações, imprimindo-lhes um novo ponto de argumentação que está sendo desenvolvido, na medida em que apresenta um caráter resumidor e argumentativo, acumulando a função de proporcionar e permitir a organização do espaço do texto e facilitar a orientação do interlocutor dentro dele, ou seja, cumpre função de ordenação (DDO).

- **"Assim"** – a expressão funciona, nesse contexto, como DD. Continuando a leitura do texto, encontramos o enunciado "... a liminar pleiteada deve ser deferida", indicando que o juiz aceita os termos e "assim" (dessa forma) induz à previsibilidade de reconhecer o pedido de forma liminar (ou seja, antes de avaliar o mérito da questão). Defendo que, ao usar "assim", o locutor constrói um referente com propósito argumentativo. Considerando o que disse Duarte (2002), em expressões como essa, "percebe-se o caráter avaliativo", e o DD desempenha a função de argumentação, tratando-se, então, de um DD argumentativo (DDA). Ao mesmo tempo, "'empacotam' as informações, imprimindo-lhes um novo ponto de argumentação que está sendo desenvolvido à medida que apresentam um caráter resumidor e argumentativo". É, por isso, usado também como resumidor de conteúdo, e com isso considerado ordenador (DDO).

- **"Nesse ponto"** – no fragmento "**assim**, a liminar pleiteada deve ser deferida, **nesse ponto**, para suspender a exigibilidade das contribuições incidentes sobre os denominados atos cooperados típicos", encontramos o DD "nesse ponto" exercendo a função de focalização (DDF). Esse DD gera "focos" de atenção e desenvolve uma "operação cognitiva", que se baseia numa orientação prévia comum aos interlocutores, a fim de conduzir o olhar do interlocutor para um determinado objeto de discurso – nesse caso, para o "ponto" em que a "liminar pleiteada deve ser deve deferida". Essa função de focalização, de acordo com Marcuschi e Calixto (1997), faz com que os DDs exerçam um "papel metacognitivo" (p. 49), ou seja, criam "uma perspectiva comum e preferencial de observação discursiva".

- **"Até então"** – o DD exerce uma função de linearidade, sequência, quanto à noção de tempo e espaço no texto. Para mim, a expressão pesquisada exerce o poder de persuasão, no texto, por meio dos argumentos (DDA). O DD "até então" tem a capacidade de aumentar a "saliência local" de um referente e encapsula trechos difusos do discurso, trazendo um conteúdo avaliativo. Fazendo isso, também exerce um papel de resumidor. Recapitula tudo o que foi escrito "até então", e, se assim o faz, exerce o uso coadjuvante de ordenador (DDO).

- **"Acima citado"** – nessa expressão encontramos o DD "acima" cumprindo o papel de localizador espacial da porção textual a ser vista pelos interlocutores da SJC, a fim de encontrarem a "imunidade prevista no dispositivo constitucional". Para Cavalcante, os DDs "marcam com mais exatidão o lugar de certos conteúdos no espaço gráfico do texto" (2000a, p. 51). Nesse contexto, o DD analisado aqui serve de orientação para o interlocutor identificar quais "imunidades constitucionais" estão previstas. Sendo assim, o considero como DD que, precipuamente, exerce a função de ordenação (DDO), usado como orientador dos interlocutores e organizador textual. Encontro aqui também uma característica de focalização (DDF), pois marca com mais exatidão o lugar de conteúdos no espaço gráfico do texto.

- **"Anteriormente adotado"** – aqui encontramos o DD cumprindo o papel de localizador espacial da porção textual onde se encontra o "entendimento" que já foi adotado. A expressão "não vislumbro razão para modificar o entendimento **anteriormente adotado**" marca com mais exatidão o lugar no espaço gráfico do texto. Assim, o DD analisado aqui serve de orientação para o interlocutor identificar qual o entendimento que foi adotado anteriormente. Considero-o como um DD que, precipuamente, exerce a função de ordenação (DDO), usado como orientador dos interlocutores e organizador textual. Encontro aqui também uma característica de focalização (DDF), pois marca com mais exatidão o lugar de conteúdos no espaço gráfico do texto, exercendo um papel de gerar "focos" de atenção para os interlocutores.

- **"Do exposto"** – como analisado anteriormente, expressões como "do exposto" são semelhantes a "isto posto", apresentam estruturas comuns, sendo compostas de sintagma nominal (SN), e remetem à porção textual antecedente a ser encontrada. Para Marcuschi (2008), essas expressões apontam para o próprio enunciado em relação à situação discursiva real e são denominadas "estratégias de compreensão". O locutor (juiz) faz referência a todo o conteúdo já exposto. Com isso, ele encadeia o seu raciocínio a fim de chegar à decisão da ação por meio da SJC. Duarte (2002a) diz que sintagmas nominais como "ante o exposto" exercem função de mudança de tópico e, para Catunda (2009), esse DD em análise relativiza um processo de retomada na medida em que a informação referida não está pontualizada, mas diluída no discurso precedente ou antecedente. Tudo isso nos leva a constatar que se trata de um DD com função de focalização (DDF).

De acordo com as categorias de análise elencadas e escolhidas nos estudos de Cavalcante (2000a), essas expressões se constituem em rótulos, que encapsulam, recuperam ou resumem conteúdos ou partes textuais anteriores. A expressão rotula toda uma parte do texto anterior que foi exposta, dita. Por isso, é usada também como encapsuladora e resumidora, com a função de ordenação (DDO).

4.2.9 Análise da sentença judicial cível 09 (SJC 09) – fragmentos textuais

AÇÃO POPULAR COM PEDIDO DE ANTECIPAÇÃO DE TUTELA
FS 01 – "Fundamentou seu pedido no artigo [...] Pugnou pela cominação de multa diária, em caso de desobediência, além de arbitramento de indenização por danos morais, causados a toda a coletividade. **É a síntese** do necessário. Fundamento e decido."
ELEMENTOS DÊITICOS DISCURSIVOS NOS FSs DA SJC 09
FS 01 – "é a síntese".

Analisando a SJC 09, encontramos o DD "é a síntese".
Analisemos esse DD.

- "**É a síntese**" – o DD mostra que o encapsulamento dos conteúdos mencionados anteriormente traz informação velha para o ouvinte, mas nova para o discurso (Duarte, 2002a). A expressão é um novo referente para o discurso. E, além do mais, categoriza todo um trecho anterior, sintetizando-o. Dessa feita, entendo que o DD em análise é categorizador (DDC).

4.2.10 Análise da sentença judicial cível 10 (SJC 10) – fragmentos textuais

AÇÃO CIVIL PÚBLICA
FS 01 – "Assim, o julgador não se encontra obrigado a discorrer sobre teses, nem rebater um a um os argumentos alegados pelas partes se adotar fundamentação suficiente para decidir integralmente a controvérsia. **Isto** porque a decisão judicial não constitui um questionário de perguntas e respostas de todas as alegações das partes, nem se equipara a um laudo pericial a guisa de quesitos. **Neste sentido**, colacionam-se os seguintes precedentes: [...]."

(continua)

(continuação)

FS 02 – "Quanto às preliminares **acima**, reitero **as razões já expendidas** na decisão que deferiu a tutela antecipada (f. 28/52), acrescentando que a 4ª Turma do TRF da 5ª Região examinou a questão no julgamento do AGTR n. 102598-SE, conforme excerto **abaixo**."
FS 03 – "Inconformada, a ré interpôs agravo de instrumento. Inicialmente, a Relatora do AGTR nº 102598-SE indeferiu o efeito suspensivo, contudo reconsiderou a sua decisão para suspender a decisão agravada. No julgamento de mérito, a 4ª Turma do Eg. TRF da 5ª Região deu provimento ao agravo para suspender os efeitos da decisão agravada, sob **os seguintes fundamentos**..."
FS 04 – "Pois bem. **Este juízo** possui a postura de seguir as decisões da instância superior como forma de prestigiar a segurança jurídica, ainda que para isso seja necessário ressalvar o ponto de vista pessoal. Não obstante os doutos fundamentos da decisão da instância superior, **este juízo** pede a máxima vênia para divergir do **entendimento supra** pelas razões **a seguir declinadas**."
FS 05 – "**Tais dispositivos** visam cumprir o princípio da acessibilidade e da igualdade material, uma vez que é sabido que, em razão de sua deficiência congênita ou adquirida, a pessoa com deficiência (desculpe a tautologia) convive com barreiras que, ordinariamente, não constituem problema, para a maioria das pessoas ditas 'normais'. Neste passo, sempre dentro espírito de universalização e especialização dos direitos fundamentais, passou-se a prever um rol específico de direitos pertinentes a sua condição especial, cujo núcleo, se resume à ideia de acessibilidade. **Este direito** visa, respeitadas as limitações intransponíveis, assegurar a fruição nas mesmas condições das pessoas chamadas 'normais', mediante a remoção de todas as barreiras."
FS 06 – "Ainda que se pense de maneira diferente, verifico que, **no presente feito**, a atuação dos Ministérios Públicos Federal e Estadual não decorreu do 'puro exercício de vontade' dos seus membros. Com efeito, durante o procedimento administrativo preparatório **da presente ação**, houve intenso envolvimento do Conselho Municipal e Estadual dos Direitos das Pessoas Portadora [sic] de Deficiência, consistente na participação nas audiências públicas (f. 9/10 11, 30/32 12, 171/172 13, 196/197 14 do anexo I e 435/436 15 do anexo II) e indicação de lugares para a adaptação dos terminais de uso público – TUP para os portadores de deficiência."
FS 07 – "Conforme trechos **do relatório acima**, verifica-se que..."

(continua)

(continuação)

FS 08 – "Diante **do exposto**, julgo procedente os pedidos com resolução de mérito (art. 269, I do CPC), para determinar..."
ELEMENTOS DÊITICOS DISCURSIVOS NOS FSs DA SJC 10
FS 01 – "isto"; "neste sentido".
FS 02 – "acima"; "as razões já expendidas"; "abaixo".
FS 03 – "os seguintes fundamentos".
FS 04 – "este juízo"; "entendimento supra"; "a seguir declinadas".
FS 05 – "tais dispositivos"; "este direito".
FS 06 – "no presente feito"; "da presente ação".
FS 07 – "do relatório acima".
FS 08 – "do exposto".

Analisando a SJC 10, encontramos os DDs: "isto"; "neste sentido"; "acima"; "as razões já expendidas"; "abaixo"; "os seguintes fundamentos"; "este juízo"; "entendimento supra"; "a seguir declinadas"; "tais dispositivos"; "este direito"; "no presente feito"; "da presente ação"; "do relatório acima"; "do exposto".

Vamos analisar esses DDs.

- "**Isto**" – poder-se-ia complementar "isto", como em: "isto acontece", "isto se deve"... O DD é um pronome que encapsula todo um conteúdo anterior. Esse DD é usado para exercer a função de categorização (DDC). De acordo com o que vimos, por esse uso, a expressão resume conteúdos proposicionais, categorizando-os pela estratégia de nominação (Cavalcante, 2000a), ou seja, o pronome atua como resumidor. Também realiza uma remissão retrospectiva precedida do dêitico específico "isto". Observo também, nesse sentido, a função de ordenação (DDO), pois há a recuperação de conteúdos textuais que localizam o interlocutor bem próximo às porções textuais recuperadas. O DD se refere ao fato de que ele (juiz, locutor) "... não se encontra obrigado a discorrer sobre teses, nem rebater um a um os argumentos alegados pelas partes se adotar fundamentação suficiente para decidir integralmente a controvérsia". Se analisarmos mais um pouco o fragmento, veremos que existem intenções argumentativas por parte do locutor, com conteúdo avaliativo quando ele diz que "a decisão judicial não constitui um questionário de perguntas e respostas de todas as alegações das partes, nem se equipara a um laudo pericial a guisa de quesitos". Essa característica faz com que o DD exerça o papel de DDA, com a função de argumentação. Como se trata de argumentação retórica, esse uso está no dêitico e também na expressão.

- "**Neste sentido**" – mais uma vez, a presença de um DD rotulador constituído por nomes "metalinguísticos" (Cavalcante, 2000a) que rotulam uma extensão discursiva a exemplo de outros DDs, como: "por este motivo", "esta situação", "dessa natureza", "nessa circunstância", "esta posição". Os rotuladores, como já mencionado anteriormente, podem ser considerados DDs. A expressão dêitica exerce a função de rotulação, sendo considerada, de acordo com Cavalcante (2000a), realizadora da função de categorização (DDC).

- "**Acima**"; "**abaixo**"; "**entendimento supra**"; "**do relatório acima**" – expressões como essas cumprem o papel de localizadoras espaciais da porção textual a ser vista pelos interlocutores da SJC, a fim de encontrarem o que está acima, supra e abaixo. Para Cavalcante, os DDs "marcam com mais exatidão o lugar de certos conteúdos no espaço gráfico do texto" (2000a, p. 51). Entendo que os DDs analisados aqui servem de orientação para o interlocutor identificar o que foi escrito (retrospectivamente) e o que vem a ser expresso prospectivamente no texto, indicando, por exemplo, qual é o "entendimento" supra. Trata-se de DDs que, precipuamente, exercem a função de ordenação (DDO), usados como orientadores dos interlocutores e organizadores textuais.

    Expressões como "na fundamentação supra" recuperam as informações dispersas anteriormente, localizando, em relação ao locutor, o ponto onde elas se encontram. Encontro aqui também uma característica de focalização (DDF), pois marcam com mais exatidão o lugar de certos conteúdos no espaço gráfico do texto.

- "**As razões já expendidas**" – esse DD exerce a função de gerar focos de atenção. Assim, estamos diante da função de focalização (DDF). Esse uso se dá por meio de uma "operação cognitiva" que se baseia numa orientação prévia comum aos interlocutores, a fim de conduzir o olhar do interlocutor para um determinado objeto de discurso (as razões já expendidas e declinadas na decisão que deferiu a tutela antecipada) que pode ser identificado, nesse caso, no espaço dêitico real (situação real da interlocução). Nessa função, os DDs exercem um "papel metacognitivo" (Cavalcante, 2000a), ou seja, criam "uma perspectiva comum e preferencial de observação discursiva". Simultaneamente, encontro aqui a função ordenadora (DDO), orientando os interlocutores sobre o conteúdo anteriormente textualizado (as informações já mencionadas).

- "**Os seguintes fundamentos**"; "**a seguir declinadas**" – analiso essas expressões conjuntamente porque acredito que possuam o mesmo papel DD. Elas exercem a função de gerar focos de atenção. Assim, estamos diante da função de focalização (DDF). A "operação cognitiva", já mencionada anteriormente, se baseia numa orientação prévia comum aos interlocutores, a fim de conduzir os seus olhares para um determinado objeto de discurso ("os fundamentos, as razões"), que pode ser identificado, nesse caso, no espaço dêitico real (situação real da interlocução). Nessa função, os DDs também exercem um "papel metacognitivo" (Cavalcante, 2000a), ou seja, criam "uma perspectiva comum e preferencial de observação discursiva". Simultaneamente, encontro aqui a função ordenadora (DDO), orientando os interlocutores sobre o conteúdo anteriormente textualizado ("os fundamentos, as razões"). Esses DDs imprimem a essas porções textuais um novo ponto de argumentação. Entendemos que esses DDs também são argumentativos (DDAs), porque fazem com que haja uma "manipulação da interpretação" do interlocutor através dos fatos e de situações avaliativas, ou seja, por meio dos "fundamentos" e "razões". Esse caráter avaliativo permite ao interlocutor interpretar o texto de acordo com seus propósitos, aumentando o poder de convencimento do locutor.

- "**Este juízo**"; "**este direito**" – a expressão "este juízo" aponta o local em que está acontecendo a apreciação das lides (juízo) e resume conteúdos proposicionais (espécies de direitos), categorizando-os pela estratégia de nominação por meio de um SN. Entendo também que se trata de um DD com função de categorização (DDC). Também exerce a função de focalização (DDF), criando, para os interlocutores, focos de atenção em relação ao espaço físico da situação discursiva, ou seja, sobre em qual instância ou vara judiciária a ação está sendo submetida. Da mesma maneira, pode ser usado como DD ordenador, promovendo a ordenação por meio da orientação aos interlocutores, inerente a esse caso.

- **"Tais dispositivos"** – como já constatado em expressão semelhante ("tal relação", na SJC 04) anteriormente analisada, esse DD funciona retrospectivamente e direciona a seleção de partes anteriores do discurso. Os "dispositivos" lembrados funcionam como *flashes* de atenção dos interlocutores promovidos pelo locutor, configurando uma estratégia dêitica de "referenciação" (Cavalcante, 2013) e, por isso, entendido por mim como DD com função de argumentação (DDA). Vislumbro aqui também o uso do DD na função de ordenação (DDO), pois retomam-se as porções – "tais dispositivos". Esse DD aponta para uma porção textual prévia, sendo que, conforme Cavalcante, "não resgata uma fonte determinada, mas se liga a certas pistas antecedentes" (2000a, p. 50). Entendo ainda que essa expressão pode ser utilizada com a função de categorização (DDC) por meio da rotulação. Esse uso põe em evidência aquela estratégia já citada anteriormente e esse "muito particular dos dêiticos discursivos" – a de rotular segmentos textuais. O segmento rotulado como parte da SJC foi todo o texto que se refere a "dispositivos".

- **"No presente feito"; "da presente ação"** – o DD "no presente feito", a exemplo de "a presente ação", retoma toda a porção textual da ação processual em curso criando um foco de atenção, comum aos interlocutores, exercendo a função de focalização (DDF). Como já constatamos, segundo Cavalcante (2000a), essa proposta da noção de focalização parte dos estudos de Ehlich (1982) e serve para designar uma atividade de orientação prévia comum aos interlocutores. Considero que o locutor gera um foco de atenção para o texto da própria ação em curso, conduzindo o olhar dos interlocutores às informações diluídas anteriormente no texto. Inexiste, nesse caso, um termo que seja pontual, particular, que sirva de antecedente para o DD. A expressão também funciona como orientadora (DDO), pois recupera uma série de informações. Somado a isso, entendo que esses DDs são também encapsuladores, pois resumem todo um conteúdo proposto (o feito).

- **"Do exposto"** – esse DD é composto por um sintagma nominal (SN) e remete à porção textual antecedente a ser encontrada. É resumidor e encapsulador. Essa expressão aponta também para o próprio enunciado em relação à situação discursiva real. São as "estratégias de compreensão" (Marcuschi, 2008). O locutor (juiz) faz referência a todo o conteúdo já exposto. A expressão em tela referencia uma porção textual-discursiva dentro do cotexto. Duarte (2002a) diz que SN semelhante a esse exerce função de mudança de tópico e, como já anunciamos anteriormente, para Catunda (2009), esse DD em análise relativiza o processo de retomada, exercendo, em meu entendimento, a função de focalização (DDF).

4.2.11 Análise da sentença judicial cível 11 (SJC 11) – fragmentos textuais

AÇÃO INDENIZATÓRIA
FS 01 – "Contra **tal decisão**, a parte ré/reconvinte interpôs agravo de instrumento, ao qual foi dado provimento, fls. 745-746)."
FS 02 – "Superada **tal questão**, passa-se à análise do mérito. E adianto que o pedido é procedente."
FS 03 – "**Isso posto**, julgo procedente a ação indenizatória ajuizada por [...] contra [...], forte no artigo 487, i, do Código de Processo Civil, para o fim de condenar a ré a pagar para a autora, a título de indenização por danos morais, a quantia [...] acrescida de correção monetária, pelos índices do IGP-M, desde a presente data, mais juros legais, no percentual de 12% ao ano, a contar da data do evento danoso, ou seja, 05/08/2013."
ELEMENTOS DÊITICOS DISCURSIVOS NOS FSs DA SJC 01
FS 01 – "tal decisão".
FS 02 – "tal questão".
FS 03 – "isso posto".

Analisando a SJC 11, descrevemos os DDs: "tal decisão"; "tal questão"; "isso posto".

Passemos a analisá-los.

- "Tal decisão"; "tal questão" – analiso essas expressões utilizando o mesmo argumento e a mesma explicação dados em DDs semelhantes encontrados anteriormente. Como já constatado, esse DD funciona retrospectivamente e direciona a seleção de partes anteriores do discurso. A "decisão" e a "questão" lembradas funcionam como *flashes* de atenção dos interlocutores promovidos pelo locutor, configurando uma estratégia dêitica de "referenciação" (Cavalcante, 2013a) e, por isso, são entendidas por mim como DDs com função de argumentação (DDAs). Constato aqui também o uso dos DDs na função de ordenação (DDO), pois se retomam as porções – "decisão", "questão" –, e, nesse caso, as expressões exercem também a função dêitica de ordenação, promovendo remissão e consistindo em DDs ordenadores (DDOs). Esse DD aponta para uma porção textual prévia, sendo que, conforme Cavalcante, "não resgata uma fonte determinada, mas se liga a certas pistas antecedentes" (2000a, p. 50). Entendo ainda que essa expressão pode ser utilizada com a função de categorização (DDC) por meio da rotulação. Esse uso põe em evidência aquela estratégia já citada anteriormente e "muito particular dos dêiticos discursivos" – a de rotular segmentos textuais, resumindo conteúdos a partir dos quais se toma novo encaminhamento. O segmento rotulado foi todo o texto que se refere a "dispositivos".

- **"Isso posto"** – de acordo com o que já constatei na SJC 03, essa expressão DD apresenta estrutura comum, sendo composta de sintagma nominal (SN), e remete à porção textual antecedente a ser encontrada. Essa expressão aponta também para o próprio enunciado em relação à situação discursiva real. Constato a referencialidade que pode ser identificada na expressão em tela, visto que, certamente, recupera, aponta, faz referência a uma porção textual-discursiva dentro do cotexto e ativa esse processo de referencialidade. Sintagmas nominais como esse exercem função de mudança de tópico (Duarte, 2002a). Para Catunda (2009), esse DD em análise relativiza o processo de retomada na medida em que a informação referida não está pontualizada, mas diluída no discurso precedente ou antecedente. Tudo isso nos leva a constatar que se trata de um DD com função de focalização (DDF). De acordo com as minhas categorias de análise elencadas e escolhidas, tendo como base os estudos de Cavalcante (2000a), essas expressões se constituem em rótulos que resgatam informações veiculadas (tudo o que foi posto anteriormente na SJC) que encapsulam, recuperam ou resumem conteúdos ou partes textuais anteriores. Por isso, são usadas também como encapsuladoras e resumidoras.

4.2.12 Análise da sentença judicial cível 12 (SJC 12) – fragmentos textuais

AÇÃO CIVIL PÚBLICA
FS 01 – "**Este juízo**, reservou-se em apreciar o pedido de tutela antecipada após a apresentação da defesa pelo requerido."
FS 02 – "**É o relatório, em síntese**. Passo a decidir."
FS 03 – "**Diante disto** rejeito a preliminar de ilegitimidade. É com esses fundamentos que rejeito **a preliminar ora analisada**."
FS 04 – "Assim, à luz dos citados dispositivos, não lhe pode inferir que **as concessões, ora apreciadas**, sejam, de certo modo, como querem os requeridos, alheias aos comandos constitucionais."
FS 05 – "**Neste sentido** colaciono as **seguintes julgados** [sic] os quais corroboram com o entendimento **deste juízo**."
ELEMENTOS DÊITICOS DISCURSIVOS NOS FSs DA SJC 12
FS 01 – "este juízo".
FS 02 – "é o relatório"; "em síntese".
FS 03 – "diante disto"; "a preliminar ora analisada".
FS 04 – "as concessões, ora apreciadas".
FS 05 – "neste sentido"; "seguintes julgados"; "deste juízo".

Analisando a SJC 12, descrevemos os DDs: "este juízo"; "é o relatório"; "em síntese"; "diante disto"; "a preliminar ora analisada"; "as concessões, ora apreciadas"; "neste sentido"; "seguintes julgados"; "deste juízo".

Passemos a analisá-los.

- "**Este juízo**"; "**deste juízo**" – as expressões são semelhantes, apontam o local em que está acontecendo o julgamento das ações (juízo) e resumem conteúdos proposicionais (espécies de direitos), categorizando-os pela estratégia de nominação por meio de SNs, "esse" (Cavalcante, 2000a). Entendo tratar-se de um DD com função de categorização (DDC). Também exerce a função de focalização (DDF), criando para os interlocutores focos de atenção em relação ao espaço físico da situação discursiva, ou seja, sobre em qual instância ou vara judiciária está sendo submetida a ação (Duarte, 2002a). Concomitantemente, pode ser usado como DD ordenador (DDO), promovendo a ordenação por meio da orientação aos interlocutores, inerente a esse caso.

- **"É o relatório"**; **"em síntese"** – os DDs mostram que o encapsulamento dos conteúdos mencionados anteriormente é, segundo Duarte (2002a), usado como informação "velha" para o ouvinte, mas "nova" para o discurso, pois esses DDs encapsuladores introduzem um referente (síntese) novo para o discurso. Além disso, categorizam todo um trecho do discurso, sintetizando-o, resumindo-o. Dessa feita, entendo que os DDs em análise são categorizadores (DDCs).

- **"Diante disto"**, **"neste sentido"** – esses DDs são compostos por um sintagma nominal (SN) e remetem à porção textual antecedente a ser encontrada. São resumidores e encapsuladores. Essas expressões também apontam para o próprio enunciado em relação à situação discursiva real. Mais uma vez, encontramos as denominadas "estratégias de compreensão" (Marcuschi, 2008). O locutor (juiz) faz referência à parte de um conteúdo anterior já exposto. Os DDs em tela referenciam uma porção textual-discursiva dentro do próprio cotexto. Esses DDs exercem função de mudança de tópico e, como já anunciamos anteriormente, para Catunda (2009), relativizam o processo de retomada, exercendo, em meu entendimento, a função de categorização (DDCs).

- **"A preliminar ora analisada"**; **"as concessões, ora apreciadas"** – esses DDs exercem a função de gerar "focos" de atenção. Assim, estamos diante da função de focalização (DDF). Esse uso se dá por meio de uma "operação cognitiva" que se baseia numa orientação prévia comum aos interlocutores, a fim de conduzir o olhar do interlocutor para determinado objeto de discurso (a "preliminar", "as concessões"), que pode ser identificado, nesse caso, no espaço dêitico real (situação real da interlocução). Observo então que, nesse caso, a função de focalização retoma focos pontuais sobre o TC em relação ao TR na enunciação. Nessa função, também, os DDs exercem um "papel metacognitivo", ou seja, criam "uma perspectiva comum e preferencial de observação discursiva" (Marcuschi, 1997, p. 158, citado por Cavalcante, 2000a, p. 49). Simultaneamente, encontro aqui a função ordenadora (DDO), orientando os interlocutores sobre o conteúdo anteriormente textualizado (as informações já mencionadas). Nesse rumo, os DDs requerem que se organize o tempo a partir do momento do discurso. Recordemos que Levinson (2007 [1983]) distingue o momento da enunciação, que ele chama de "tempo de codificação", ou "TC", do momento de recepção, chamado por ele de "tempo de recebimento", ou "TR".

- **"Seguintes julgados"** – esse DD exerce a função de gerar "focos" de atenção. Assim, estamos diante da função de focalização (DDF). A "operação cognitiva", já mencionada anteriormente, se baseia numa orientação prévia comum aos interlocutores, a fim de conduzir os seus olhares para um determinado objeto de discurso ("os seguintes julgados"), que pode ser identificado no espaço dêitico real (situação real da interlocução) comum e preferencial de observação discursiva. Simultaneamente, encontro aqui a função ordenadora (DDO), orientando os interlocutores sobre o conteúdo que vem a seguir ("seguintes julgados"). Esse DD imprime a essa porção textual um novo ponto de argumentação. Entendo que esse DD argumentativo faz com que haja uma "manipulação da interpretação" do interlocutor através dos fatos e de situações avaliativas, ou seja, por meio dos "julgados".[48] Esse caráter avaliativo permite ao interlocutor interpretar o texto de acordo com seus propósitos, aumentando o poder de convencimento do locutor. Assim, considero-o também como DDA.

4.2.13 Análise da sentença judicial cível 13 (SJC 13) – fragmentos textuais

AÇÃO ORDINÁRIA
FS 01 – "Faço remissão ao **relatório constante da decisão** das fls. 43/45".
FS 02 – "**Além disso**, o art. 2º da Lei n. 11.000/2004, invocado pela parte ré, tem teor igual ao do art. 58, § 4º, da Lei n. 9.649/98, declarado inconstitucional **pelo Excelso Pretório**, conforme já registrado."

(continua)

---

[48] Trata-se da exposição daqui por diante de "julgados", ou seja, textos escritos que encapsulam algumas decisões já efetivadas no Judiciário. Servem de argumento e fundamento para as decisões dos juízes, inclusive nas SJCs.

(continuação)

ELEMENTOS DÊITICOS DISCURSIVOS NOS FSs DA SJC 13
FS 01 – "relatório constante da decisão".
FS 02 – "além disso"; "pelo Excelso Pretório".

Analisando a SJC 13, delineamos os DDs: "relatório constante da decisão"; "além disso"; "pelo Excelso Pretório".

Passemos agora a analisá-los.

- **"Relatório constante da decisão"** – o DD demonstra que o encapsulamento dos conteúdos mencionados anteriormente no relatório é, segundo Duarte (2002a), usado como informação "velha" para o ouvinte, mas "nova" para o discurso, pois esse DD encapsulador introduz um referente (síntese) novo para o discurso. Além do mais, categoriza todo um trecho do discurso, sintetizando-o, resumindo-o. Dessa feita, entendemos que o DD em análise é categorizador (DDC). Na medida em que faz remissão ao relatório, a expressão ordena e orienta os interlocutores e, por isso, exerce também o uso como ordenadora (DDO).

- **"Além disso"** – o DD é composto por um pronome que encapsula todo um conteúdo anterior ("isso") e tem uma visão também prospectiva. Esse DD é usado para exercer a função de categorização (DDC). De acordo com o que vimos, por esse uso, a expressão resume conteúdos proposicionais, categorizando-os pela estratégia de nominação, ou seja, o pronome atua como resumidor. Também realiza uma remissão retrospectiva precedida do dêitico específico "isso". A função de ordenação (DDO) também é encontrada, pois há a recuperação de conteúdos textuais que localizam o interlocutor bem próximo às porções textuais recuperadas. Encontramos, nesse DD, intenções argumentativas por parte do locutor, com conteúdos avaliativos quando ele diz que "Além disso, o art. 2º da Lei n. 11.000/2004, invocado pela parte ré, tem teor igual ao do art. 58, § 4º, da Lei n. 9.649/98, declarado inconstitucional". Essa característica faz com que o DD exerça o papel de DDA, com a função de argumentação. Trata-se de um argumento de autoridade pelo qual o locutor (juiz) faz uso dos dispositivos legais supracitados.

- **"Pelo Excelso Pretório"** – o DD exerce simultaneamente as funções de ordenação, focalização e categorização (DDO, DDF e DDC). O "Excelso Pretório" é referenciado como um espaço físico novo no texto. Já vimos que, de acordo com Cavalcante (2000a), as categorizações desenvolvem uma estratégia muito particular dos DDs: a de rotular segmentos textuais. O rótulo "Excelso Pretório" também atua resumindo conteúdos. Esse DD é típico do discurso jurídico.

4.3 Discussão dos resultados

Nesta seção, vamos à discussão e à interpretação dos resultados obtidos.

Com base na observação e na sistematização dos dados coletados, cheguei ao levantamento descritivo de 73 DDs, retirados de treze SJCs que compõem o *corpus* da minha pesquisa.

Acredito que esses DDs constituem uma amostra eficaz e expressiva para a proposta metodológica. Com isso, elaboro o seguinte mapeamento a fim de destacar e enumerar os DDs presentes em cada SJC.

Quadro 2. Expressões DD encontradas no *corpus*

SJC	ELEMENTOS (EXPRESSÕES) DÊITICOS DISCURSIVOS – DDs	QUANTIDADE DE DDs
1	A presente ação; abaixo expendidas; assim sendo; tal relação; essa razão; nos termos em que foi proposto; nas lides postas; desse juízo.	8
2	Esse ramo de atividade; a tese posta.	2
3	Do exposto; na linha traçada acima; nessa senda; isto posto.	4
4	Dita missão; papel este; circunstâncias estas; em tal conjuntura; o fato em testilha; toda prova produzida; aqui.	7
5	As mencionadas informações; a matéria em questão; tal inobservância; nesse tom; nesse panorama.	5
6	A lide em comento; por isso; nesse contexto.	3

(continua)

(continuação)

SJC	ELEMENTOS (EXPRESSÕES) DÊITICOS DISCURSIVOS – DDs	QUANTIDADE DE DDs
7	No feito; os termos da inicial; acima mencionado; essas considerações necessárias; no caso sub examine.	5
8	Os autos; nesse rumo; assim; nesse ponto; até então; acima citado; anteriormente adotado; do exposto.	8
9	É a síntese.	1
10	Isto; neste sentido; acima; as razões já expendidas; abaixo; os seguintes fundamentos; este juízo; entendimento supra; a seguir declinadas; tais dispositivos; este direito; no presente feito; da presente ação; do relatório acima; do exposto.	15
11	Tal decisão; tal questão; isso posto.	3
12	Este juízo; é o relatório; em síntese; diante disto; a preliminar ora analisada; as concessões, ora apreciadas; neste sentido; seguintes julgados; deste juízo.	9
13	Relatório constante da decisão; além disso; pelo Excelso Pretório.	3
	Total de DDs	73

Fonte: elaborado pelo autor a partir do *corpus*.

Com base na observação e na sistematização dos dados coletados expostos no quadro 2, e de acordo com a análise realizada desses DDs (seção 4.2), pude observar e constatar a expressiva ocorrência dos DDs no texto jurídico (aqui as SJCs), conforme nos havia ensinado Marcuschi e Calixto (1997). Em minha investigação, proponho que os usos DD se evidenciam por meio dos usos/funções encontrados em Cavalcante (2000a) (ordenação, focalização, categorização e argumentação), escolhidas como "categorias de análise" na minha pesquisa, e daí organizo o quadro 3 para evidenciar e dar uma ideia dessas funções.

Quadro 3. DD – Funções/usos e atividades mais ocorrentes

	DD	FUNÇÃO	FUNÇÃO COOCORRENTE
1	"a presente ação"	Focalização	Ordenação
2	"abaixo expendidas"	Ordenação	Focalização
3	"assim sendo"	Argumentação	Ordenação
4	"tal relação"	Ordenação	Categorização
5	"essa razão"	Categorização	Ordenação
6	"nos termos em que foi proposto"	Focalização	Ordenação
7	"nas lides postas"	Focalização	Argumentação
8	"desse juízo"	Categorização	Focalização
9	"esse ramo de atividade"	Ordenação	Argumentação
10	"a tese posta"	Ordenação	Focalização
11	"do exposto"	Focalização	Ordenação
12	"na linha traçada acima"	Ordenação	Focalização
13	"nessa senda"	Categorização	Ordenação
14	"isto posto"	Focalização	Argumentação
15	"dita missão"	Categorização	Ordenação
16	"papel este"	Categorização	Ordenação; argumentação
17	"circunstâncias estas"	Categorização	Ordenação; argumentação
18	"em tal conjuntura"	Argumentação	Ordenação
19	"o fato em testilha"	Ordenação	Categorização
20	"toda prova produzida"	Ordenação	Argumentação
21	"aqui"	Focalização	Ordenação
22	"as mencionadas informações"	Focalização	Ordenação

(continua)

(continuação)

	DD	FUNÇÃO	FUNÇÃO COOCORRENTE
23	"a matéria em questão"	Ordenação	Categorização
24	"tal inobservância"	Argumentação	Categorização
25	"nesse tom"	Focalização	Argumentação
26	"nesse panorama"	Focalização	Argumentação
27	"a lide em comento"	Ordenação	Categorização
28	"por isso"	Argumentação	Ordenação
29	"nesse contexto"	Ordenação	Categorização
30	"no feito"	Focalização	Ordenação
31	"os termos da inicial"	Focalização	Ordenação
32	"acima mencionado"	Ordenação	Focalização; argumentação
33	"essas considerações necessárias"	Categorização	Ordenação
34	"no caso subexamine"	Organização	Categorização
35	"os autos"	Organização	Categorização
36	"nesse rumo"	Categorização	Argumentação
37	"assim"	Argumentação	Ordenação
38	"nesse ponto"	Focalização	Ordenação
39	"até então"	Argumentação	Ordenação
40	"acima citado"	Ordenação	Focalização
41	"anteriormente adotado"	Ordenação	Focalização
42	"do exposto"	Focalização	Ordenação
43	"é a síntese"	Categorização	Ordenação
44	"isto"	Categorização	Ordenação; argumentação

(continua)

(continuação)

	DD	FUNÇÃO	FUNÇÃO COOCORRENTE
45	"neste sentido"	Categorização	Focalização
46	"acima"	Ordenação	Focalização
47	"as razões já expendidas"	Focalização	Ordenação
48	"abaixo"	Ordenação	Focalização
49	"os seguintes fundamentos"	Focalização	Ordenação
50	"este juízo"	Categorização	Focalização; ordenação
51	"entendimento supra"	Ordenação	Focalização; categorização
52	"a seguir declinadas"	Focalização	Ordenação; argumentação
53	"tais dispositivos"	Argumentação	Ordenação; categorização
54	"este direito"	Categorização	Focalização
55	"no presente feito"	Focalização	Ordenação
56	"da presente ação"	Focalização	Ordenação
57	"do relatório acima"	Ordenação	Focalização
58	"do exposto"	Focalização	Ordenação
59	"tal decisão"	Argumentação	Ordenação; focalização
60	"tal questão"	Argumentação	Ordenação; focalização
61	"isso posto"	Focalização	Ordenação
62	"este juízo"	Categorização	Focalização; ordenação
63	"é o relatório"	Categorização	Ordenação
64	"em síntese"	Categorização	Ordenação
65	"diante disto"	Focalização	Ordenação
66	"a preliminar ora analisada"	Focalização	Ordenação
67	"as concessões, ora apreciadas"	Focalização	Ordenação

(continua)

(continuação)

	DD	FUNÇÃO	FUNÇÃO COOCORRENTE
68	"neste sentido"	Categorização	Focalização
69	"seguintes julgados"	Focalização	Ordenação
70	"deste juízo"	Categorização	Focalização; ordenação
71	"relatório constante da decisão"	Categorização	Ordenação
72	"além disso"	Categorização	Ordenação; argumentação
73	"pelo Excelso Pretório"	Ordenação	Focalização; categorização

Ressalto que esses usos/funções são os mais observados. De acordo com o quadro 3, encontramos as seguintes quantidades de usos praticados pelos DDs e percentuais de DD exercendo as suas devidas funções (escolhidas, nesta pesquisa, como categorias de análise):

ORDENAÇÃO	FOCALIZAÇÃO	CATEGORIZAÇÃO	ARGUMENTAÇÃO
20 DDs	24 DDs	20 DDs	9 DDs
27,40%	32,90%	27,40%	12,30%

Conforme os dados acima encontrados e de acordo com as categorias de análise escolhidas, constatei a presença de 73 DDs, sendo:

- 20 do tipo **DDO**, exercendo, precipuamente, a função de **ordenação**, correspondendo a **27,40%** do total de DDs encontrados e analisados. Esse uso é aquele em que os DDs recuperam uma série de informações dispersas em trechos anteriores ao enunciado transcrito, localizando a informação em um ponto anterior à última enunciação do falante, e servem como orientação aos interlocutores e como organização textual. Podem ser considerados também, em alguns momentos, encapsuladores.

- 24 do tipo **DDF**, exercendo, precipuamente, a função de **focalização**, correspondendo a **32,90%** do total de DDs analisados. Nesse uso, os DDs cumprem a função de gerar focos de atenção. Segundo Cavalcante, a focalização é uma "operação cognitiva" que se baseia numa orientação prévia comum aos interlocutores, a fim de conduzir o olhar deles para um determinado objeto de discurso, que pode ser identificado tanto no espaço dêitico real (situação real da interlocução) quanto no espaço metaforizado do texto (espaço físico distante da posição real dos interlocutores). Nessa função, os DDs também exercem um "papel metacognitivo", ou seja, criam "uma perspectiva comum e preferencial de observação discursiva" (Marcuschi, 1997, p. 158, citado por Cavalcante, 2000a, p. 49).

- 20 do tipo **DDC**, correspondendo a **27,40%** do total de DDs analisados, que exercem, preferencialmente, a função de **categorização**. Por esse funcionamento, vimos que os DDs resumem conteúdos proposicionais, categorizando-os pela estratégia de nominação, ou seja, como pronome ou como sintagma nominal. Destacamos também a presença de rótulos que funcionam como recursos de organização, realizam remissões retrospectivas e são sempre precedidos de um dêitico específico (este, aquele, esse, tal etc.). Os rótulos são considerados DDs encapsuladores (Duarte, 2002a) por recuperarem ou resumirem conteúdos ou partes textuais.

- 9 do tipo **DDA**, correspondendo a **12,30%** do total analisado, exercendo, principalmente, a função de **argumentação**. São aqueles cujo poder de persuasão, comum nos textos escritos, é "intensificado" pelos *flashes* de atenção dos interlocutores, propiciados pelos demonstrativos. Estes têm a capacidade de aumentar a "saliência local" de um referente. Nas SJCs analisadas, confirmamos e destacamos o poder que esses elementos têm de induzir a construção de um referente de acordo com o propósito argumentativo do locutor.

Pelos números mencionados acima, verificamos que a função de focalização é a de maior ocorrência – 24, com o percentual de 32,90%. As funções de ordenação e categorização apresentaram a mesma ocorrência – vinte vezes cada uma, atingindo o percentual de 27,40% individualmente. Quando juntas, atingem 54,80% das ocorrências.

Já os DDs argumentativos representam 12,30% dos DDs analisados.

Esses resultados evidenciam a existência dessas funções que aparecem em destaque e outros usos DD que, simultaneamente, ocorrem nas SJCs.

Como vimos, as sentenças judiciais são gêneros textuais pertencentes ao domínio discursivo jurídico, produzidos e emitidos pelos magistrados, e, segundo Montenegro Filho, são "pronunciamentos do juiz resultantes de seu livre poder de decidir" (2009, vol. 1, p. 497). Nesse momento de produção textual escrita da SJC, o juiz (falante/locutor) tem liberdade nas suas escolhas de elaboração do texto.

Na minha investigação, fica constatado que esses locutores usam com muita recorrência os DDs e, assim, permitem que, de acordo com o que vimos em Benveniste (2005 [1979]), a dêixis consiga organizar entre si pessoa, tempo e espaço, situando esses elementos em um contexto enunciativo específico (nesse caso, a situação interlocutiva patrocinada pelo texto jurídico), instaurando uma relação entre o texto e a situação.

De acordo com os resultados encontrados, respondo às questões de pesquisa e comprovo que existem outros usos simultâneos aos usos mais evidentes. E aqui desperto para uma constatação que ainda não tinha visto em pesquisas dessa estirpe: nenhum DD possui função "estanque" (fechada, engessada, única) nas SJCs. Nesse gênero, eles sempre atuam desempenhando mais de um uso ao mesmo tempo. Encontrei DDs que exercem mais de uma função simultânea, a exemplo de: "este juízo" (categorização; focalização; ordenação); e "a seguir declinadas" (focalização; ordenação; argumentação).

Outras funções também são expressivas e ocorrem de forma frequente. Pelos dados encontrados durante a análise dos FSs nas SJCs de 01 a 13, constatei a existência de 104 usos simultâneos, ou seja, os DDs apresentam-se exercendo funções coocorrentes. Nesse sentido, observamos os seguintes resultados:

- 36 usos de DDs como ordenadores (34,62%);
- 26 usos de DDs como focalizadores (25,00%);
- 26 usos de DDs como categorizadores (25,00%);
- 16 usos de DDs como argumentativos (15,38%).

Os 73 DDs encontrados no *corpus* funcionaram 104 vezes (soma dos usos = 36 + 26 + 26 + 16), desempenhando diversos usos. A maior parte desses usos simultâneos é de DDs ordenadores (DDOs) (34,62%). Os DDs focalizadores (DDFs) correspondem a 25% dos usos simultâneos, assim como também os categorizadores (DDCs) correspondem a 25% das funções. Os argumentativos (DDA) perfazem um percentual de 15,38% dos usos coocorrentes. Esse dado me lembrou o trabalho de Catunda (2009), quando ela constata que os textos jurídicos são essencialmente argumentativos, pois, dotados de linguagem persuasiva "própria" do direito, têm como objetivo o convencimento.

As atividades encontradas, durante a minha análise, nos diversos usos dos DDs foram: encapsulamento; orientação; criação de focos comuns de atenção aos interlocutores; remissão retrospectiva a conteúdos do texto; criação de rótulos; resumo de conteúdos e proposições; aumento da saliência discursiva; apresentação de novas informações de cunho avaliativo; recuperação e retomada de partes textuais; localização e apontamento de conteúdos; aditamento de informações; acumulação de significados; direcionamento de discursos anteriores; construção de referentes; função metacognitiva; persuasão; mudança de sentido; nominação por meio de um SN; criação de um caráter avaliativo; criação de *flashes* de atenção com propósito argumentativo.

Desta forma, para finalizar a discussão e a apresentação dos resultados, apresento dois gráficos que correspondem à ocorrência dos DDs analisados de acordo com as minhas categorias escolhidas.

Gráfico 1. Ocorrência de DDs de acordo com os usos/funções tomados como categorias de análise

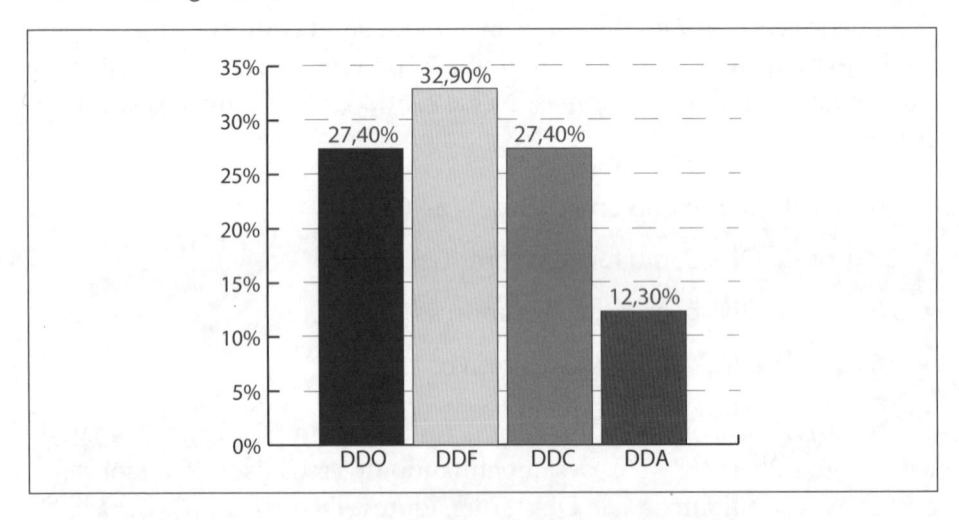

DDO	DDF	DDC	DDA
27,40%	32,90%	27,40%	12,30%

Essas funções, como já vimos, aparecem com usos simultâneos (coocorrentes) em alguns casos, ou seja, há uma intersecção de usos/funções. É o que representa o gráfico 2.

Gráfico 2. Ocorrência de DDs de acordo com os usos/funções coocorrentes tomados como usos simultâneos dos DDs nas SJCs

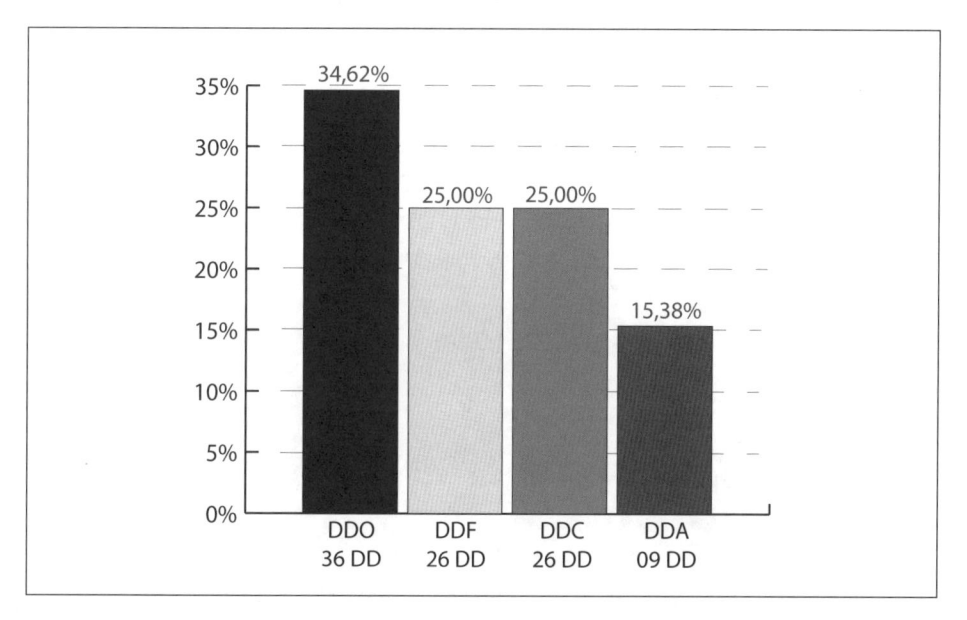

	DDO 36 DD	DDF 26 DD	DDC 26 DD	DDA 09 DD
	34,62%	25,00%	25,00%	15,38%

Fazendo-se um comparativo entre os gráficos 1 e 2, constatamos que, quando se trata de uso/função mais evidente (precípuos), temos um maior percentual correspondente aos DDOs. Por outro lado, quando a análise recai sobre os usos/funções coocorrentes, o maior percentual é de DDFs.

Pelos embasamentos teóricos explicitados na análise, entendo que essas duas funções, ordenadoras e focalizadoras, se complementam e podem ser consideradas funções orientadoras. Observando ainda as análises realizadas: grande parte dos ordenadores foi também classificada como focalizadora. Sendo assim, entendo e defendo que o DD, ao focalizar, pode também ordenar. Seguindo esse raciocínio, dentre os 73 DDs analisados, 44 DDOs + 24 DDFs são ordenadores propriamente ditos, pois servem de orientação e dão direcionamentos aos interlocutores em relação ao texto. Em termos percentuais, temos 60,30% de dêiticos ordenadores.

Constato também que os DDs categorizadores funcionam como resumidores de conteúdos proposicionais, rotuladores e conectores de sequências textuais; provocam mudanças de direção na construção dos sentidos e contribuem para a acumulação de significados no discurso, seja simplesmente resumindo conteúdos, seja aditando informações novas.

Com essas atividades, defendo que os categorizadores também podem ser considerados argumentativos. Assim, 29 DDs (20 DDCs + 9 DDAs) são considerados, na minha análise, DDs argumentativos, e isso representa 39,70% dos DDs analisados.

Enfim, diante desse cenário, destaco que os usos dos DDs nas SJCs são eminentemente ordenadores e argumentativos.

CONSIDERAÇÕES FINAIS

Sem a pretensão de esgotamento do assunto, apresento as principais conclusões, resultantes da análise dos dados. Para isso, retomo os principais "pilares" desta pesquisa e lembro os objetivos.

A partir do problema inicial e da justificativa sobre a escolha do tema, identifico questões de estudo. Quais as possíveis funções/usos exercidas pelos DDs no gênero SJC? Entre essas funções, qual é a que ocorre de maneira mais expressiva, mais recorrente? Pode um DD exercer, simultaneamente, mais de uma função na SJC?

Partindo da exposição dos processos referenciais como forma de organização textual, destaco, numa visão semântico-discursiva e pragmática, a essencialidade dos procedimentos dêiticos. Os processos referenciais de retomadas textuais, especificamente a dêixis, me instigaram a pesquisar a presença e os usos dos DDs nas SJCs.

Para isso, lancei mão de um referencial teórico consistente, que me permitiu trabalhar na busca dos objetivos da pesquisa. Nos estudos teóricos apresentados, observei que os autores entendem que o fenômeno da dêixis está presente, de modo expressivo, nas diversas situações comunicativas, sejam elas de cunho oral, sejam na forma textual escrita.

A atividade jurisdicional (ou judicial) em relação à linguagem está inserida numa prática transdisciplinar de estudos. A partir dessa afirmação, observei no meu trabalho que esses estudos levam em consideração tanto abordagens hermenêuticas e dogmáticas em relação ao direito quanto o viés linguístico-discursivo do funcionamento da linguagem como atividade sociocultural.

Esses estudos também destacam o papel do produtor do texto no domínio discursivo jurídico, bem como a localização espacial e temporal dos interlocutores e dos contextos sociais imediatos na situação interlocutiva.

O texto jurídico como meio de comunicação pressupõe a interação de agentes que vivem em sociedade sob a necessidade da regulamentação de condutas em um espaço determinado.

Os diversos estudos carreados a essa pesquisa contribuíram para as análises e justificaram o interesse da pesquisa linguística no domínio discursivo jurídico.

Adoto, neste trabalho, um olhar semântico-discursivo e pragmático. Analiso usos e funcionamentos de elementos dêiticos discursivos nos gêneros SJC e lanço também um olhar pragmático, acreditando e defendendo a importância da aproximação linguagem-contexto.

Demonstro na minha pesquisa que o fenômeno linguístico da dêixis tem a característica de aproximar o cotexto da realidade enunciativa; realidade essa que envolve, implicitamente, o contexto da interlocução.

Este trabalho descritivo, interpretativista, analítico e de natureza bibliográfica e documental pode contribuir para incentivar cada vez mais o estudo desse fenômeno intrigante e desafiador da língua.

Nesse itinerário, refleti sobre a "referência", indo de uma visão objetivista até uma concepção "discursiva", e cheguei a concepções além da relação linguagem-mundo – a referenciação.

Pesquisei sobre o fenômeno da dêixis, sua gênese, sua definição, suas categorias, suas características e suas funções. Comprovei, por meio do referencial teórico, que ainda persiste a grande "polêmica", de estreitos liames, entre dêixis discursiva e anáforas, e que ainda permanecem as discussões sobre as perspectivas semântico-discursivas e pragmáticas do fenômeno. Trata-se, realmente, como pensa Rajagopalan (1999), de uma espécie de "fronteira pragmática", de um verdadeiro "terreno pantanoso" que envereda por noções "complexas e cabeludas" de "contexto".

Ainda não havia verificado estudos sobre a dêixis nas sentenças judiciais cíveis (SJCs), e isso foi mais uma motivação que me despertou a enveredar por esse caminho.

Escolhi como *corpus* treze SJCs, eleitas pelo critério da presença de dêiticos discursivos e pela diversificação de juízos cíveis, abrangendo os seguintes estados: Paraíba, Pernambuco, Goiás, Sergipe, São Paulo, Paraná, Rio Grande do Sul e Pará.

Constatei que as SJCs podem conter números expressivos de formas dêitico-discursivas e, daí, parti, mesmo pisando em "terrenos pantanosos", para o empreendimento investigativo. As dificuldades apareceram porque ainda sobrevive nos estudos teóricos a famosa e inacabada "confusão" entre dêixis e anáforas, mas, mesmo assim, esse problema não limitou a pesquisa.

Os objetivos foram atendidos, no sentido de investigar os usos dos dêiticos discursivos (DD) nas sentenças judiciais cíveis (SJCs) como elementos que as organizam e nelas exercem diversas funções.

Especificamente, consegui identificar e mapear dêiticos discursivos nas SJCs; destacar as funções encontradas nos DDs; observar quais são os DDs mais recorrentes nas SJCs; e identificar DDs que exercem mais de uma função na SJC.

A análise empreendida nas SJCs me permitiu comprovar e verificar a validade de minha hipótese de que, nas SJCs, existe uma significativa recorrência de DDs que exercem diversas funções, como ordenação, focalização, categorização e argumentação.

Os procedimentos metodológicos foram de cunho bibliográfico, qualitativo, descritivo e interpretativista, sem deixar de promover um viés quantitativo dos resultados obtidos.

As categorias foram escolhidas em função dos usos dos DDs encontrados em Cavalcante (2000a), Duarte (2002a; 2002b) e Catunda (2009), lembrando que esses autores estão embasados nos trabalhos de Fillmore (1971), Lyons (1979), Lahud (1979), Levinson (1983), Benveniste (1989), Marcuschi e Calixto (1997), e Koch (1997).

Constatei, como parte dos resultados da análise, que nenhum DD possui função "estanque" (fechada, engessada, única) nas SJCs. Eles sempre atuam desempenhando mais de um uso ao mesmo tempo.

Sendo a sentença judicial um documento jurídico que contém um juízo formado por um "raciocínio" crítico, "mediante o qual o órgão do Poder judiciário elege, entre as razões do autor e do réu (ou, até mesmo, de um terceiro), a solução que lhe parecer mais ajustada ao direito e à justiça" (Couture, 1966, p. 155), comprovei que é de suma importância a organização textual, promovida pelos DDs, nesses gêneros. Os DDs que mais se destacam são os que promovem a organização textual e a orientação dos interlocutores em relação ao texto; chamei esses DDs de "ordenadores" e "focalizadores".

Por isso, é possível afirmar que os DDs estão presentes de forma expressiva nas SJCs e, na minha investigação, constatei a predominância daqueles que exercem a função de proporcionar mais coesão e coerência textual, facilitando a ordenação (organização e orientação) e contribuindo para tornar a interlocução mais acessível nesse domínio discursivo.

Sendo assim, encontrei nos dados evidências de que, na linguagem jurídica presente nos gêneros SJCs, os juízes fazem, em alguns momentos, referência a partes textuais sem citá-las explicitamente, usando elementos dêiticos discursivos que exercem algumas funções, como as que analisei.

Como apontei, os DDs analisados funcionaram 104 vezes, desempenhando diversos usos. Constatei que esses usos simultâneos correspondem às atividades de: encapsulamento; orientação; criação de focos comuns de atenção aos interlocutores; remissão retrospectiva a conteúdos do texto; criação de rótulos; resumo de conteúdos e proposições; aumento da saliência discursiva; apresentação de novas informações de cunho avaliativo; recuperação e retomada de partes textuais; localização e apontamento de conteúdos; aditamento de informações; acumulação de significados; direcionamento de discursos anteriores; construção de referentes; função metacognitiva; persuasão; mudança de sentidos; nominação por meio de um SN; criação de um caráter avaliativo; e criação de *flashes* de atenção com propósito argumentativo.

Os percentuais encontrados na discussão dos resultados evidenciam que existe, por parte dos locutores (juízes), uma preocupação em organizar o texto a fim de propiciar melhores interpretações pelos interlocutores.

Outro achado que considero importante é a constatação da presença de DDs que promovem categorizações. Eles assumem também a função de argumentação com suas atividades. O ambiente forense, o juiz, os demais interlocutores do domínio discursivo jurídico, *per se*, constituem um espaço onde se destaca a argumentação. Na minha pesquisa, tratei a argumentação na sua concepção retórica, característica dos gêneros desse domínio discursivo.

Por estudar a SJC, a minha pesquisa comprova que esse gênero é fundamentalmente argumentativo. A argumentação dos DDs foi entendida como a atividade verbal que objetiva fazer com que alguém acredite em alguma coisa.

Dessa feita, acredito que este livro pode contribuir com as reflexões sobre os gêneros textuais do domínio discursivo jurídico, ambiente discursivo tão importante para a vida social. Em relação aos estudos da dêixis, esperamos que a minha pesquisa possa contribuir no sentido de cada vez mais facilitar a compreensão do papel organizador e argumentativo dos DDs em textos jurídicos.

A contribuição também se destina ao alargamento das fileiras de pesquisadores que tentam, cada vez mais, clarificar e modernizar o discurso jurídico.

Como constatamos nas SJCs, os produtores desses textos usam de forma bem representativa o fenômeno dêitico de retomada e organização textual.

Sonhamos com a inserção, cada vez mais profícua, dos fenômenos linguísticos na tessitura dos gêneros jurídicos. Os textos escritos na práxis do direito precisam cada vez mais ser claros e modernos, a fim de se propiciar mais coerência e coesão, facilitando assim a compreensão pelos seus interlocutores sociais e melhorando, de certa forma, a qualidade de vida das pessoas.

Os resultados encontrados aqui devem ser mais elaborados, manipulados e carreados às novas pesquisas sobre o tema.

Por fim, não podemos concluir, mas apenas fazer essas considerações finais, para que a "porta" (tão mencionada pelos pesquisadores) continue apenas "encostada"; não podemos nem devemos "trancá-la", mas permitir a passagem e a veiculação de novas ideias.

REFERÊNCIAS BIBLIOGRÁFICAS

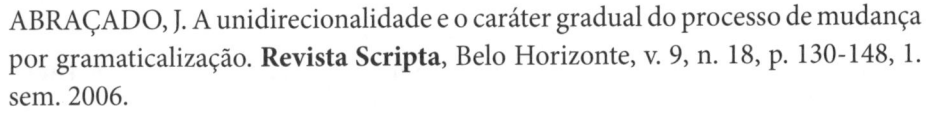

ABRAÇADO, J. A unidirecionalidade e o caráter gradual do processo de mudança por gramaticalização. **Revista Scripta**, Belo Horizonte, v. 9, n. 18, p. 130-148, 1. sem. 2006.

_____. Como é possível vivermos e convivermos em um mundo real e nos comunicarmos exclusivamente no âmbito de um universo discursivo? **Revista Alfa**, São Paulo, v. 55, n. 1, p. 205-224, 2011.

APOTHÉLOZ, D.; REICHLER-BÉGUELIN, M. J. Construction de la référence et stratégies de désignation. In: BERRENDONNER, A.; REICHLER--BÉGUELIN, M. J. (Org.) **Du sintagme nominal aux objets-de-discours**. Neuchâtel: Université de Neuchâtel, 1995.

ARMENGAUD, F. **A pragmática**. Tradução Marcos Marcionilo. São Paulo: Parábola Editorial, 2006.

BENVENISTE, É. **Problemas de linguística geral I**. Tradução Maria da Glória Novak e Maria Luisa Neri; revisão prof. Isaac Nicolau Salum. 5. ed. Campinas: Pontes, 2005 [1979].

_____. **Problemas de linguística geral II**. Tradução Eduardo Guimarães et al.; revisão técnica Eduardo Guimarães. Campinas: Pontes, 1989.

CARACIOLA, A. B. **Atributos linguísticos das decisões judiciais.** Disponível em: <http://www.mackenzie.br/fileadmin/Graduacao/FDir/Artigos/artigos_2009/linguisticos_andrea.pdf>. Acesso em: 15 set. 2012.

CASTILHO, A. T. **Nova gramática do português brasileiro**. São Paulo: Contexto, 2012.

CATUNDA, E. L. Análise pragmática do gênero jurídico acórdão – com atenção especial para os dêiticos discursivos. **Faculdades Cearenses em Revista**, Fortaleza, v. 1, n. 1, p. 184-199, ago./dez. 2009. Disponível em: <www3.unisul.br/paginas/ensino/pos/linguagem/cd/caderno.pdf>. Acesso em: 10 set. 2012.

CAVALCANTE, M. M. A dêixis discursiva. **Revista de Letras**, Fortaleza, UFC, n. 22, v. 1/2, jan./dez. 2000a. Disponível em: <http://www.revistadeletras.ufc.br/rl22Art06.pdf>. Acesso em: 28 ago. 2012.

_____. **Expressões indiciais em contextos de uso: por uma caracterização dos dêiticos discursivos**. 2000. 218 p. Tese (Doutorado em Letras) – Universidade Federal de Pernambuco. Recife, 2000b.

_____. **Dêiticos discursivos** – um caso especial de referência indireta? In: 50º Seminário do GEL. São Paulo, 2002.

_____. **Os sentidos do texto**. São Paulo: Contexto, 2013.

CAVALCANTE, M. M. et al. **Coerência, referenciação e ensino**. São Paulo: Cortez, 2014.

CAVALCANTE, M. M.; LIMA, S. M. C. **Referenciação:** teoria e prática. São Paulo: Cortez, 2013.

CERVONI, J. **A enunciação**. Tradução L. Garcia dos Santos. Revisão da tradução Valter Kehdi. São Paulo: Ática, 1989. (Série Fundamentos, n. 61).

CHAROLLES, M. Introdução aos problemas da coerência dos textos. (abordagem teórica e estudo das práticas pedagógicas). In: GALVES, C.; ORLANDI, E. P.; OTONI, P. (Org.). **O texto**: leitura e escrita. 3. ed. Campinas: Pontes, 2002.

COLARES, V. V. C. (Org.). **Linguagem e direito**. Recife: Editora Universitária da UFPE, 2010.

COUTURE, E. J. **Fundamentos del Derecho Procesal Civil**. 3. ed. Buenos Aires (Argentina): Depalma, 1966.

DE DEUS, V. C. **Mecanismos sintático-discursivos da argumentação em sentença judicial**. 2004. Dissertação (Mestrado em Letras) – Pontifícia Universidade Católica de Minas Gerais, 2004.

DUARTE, A. L. M. **Forma e função dos dêiticos discursivos em termos de depoimento e acórdãos**. Fortaleza, Universidade Estadual do Ceará, 2002a.

_____. Os dêiticos nos Termos de Depoimento. In: XIX Jornada Nacional de Estudos Linguísticos, 2002, Fortaleza. **XIX Jornada Nacional de Estudos Linguísticos**. Fortaleza: EUFC, 2002b.

DUCROT, O. Argumentação retórica e argumentação linguística. In: **Positionnements théoriques dans le champ des étude d'argumentation**. Universidade Paris III,

Sorbonne Nouvelle. Tradução Roberto Leiser Baronas e Fábio César Montanheiro. Março de 2003. Disponível em: <www.letras.ufscar.br/linguasagem/edicao02/02t_od.php>. Acesso em: 20 jul. 2017.

DUCROT, O.; TODOROV, T. **Dicionário enciclopédico das ciências da linguagem**. São Paulo: Perspectiva, 1998.

ESPÍNDOLA, L. C. **Teorias pragmáticas e ensino**. João Pessoa: EDUFPB, 2012.

_____. **A entrevista:** um olhar argumentativo. João Pessoa: EDUFPB, 2004.

ESPÍNDOLA, L. C.; FERREIRA, B. C. O senhor sabe do que está sendo acusado? Uma análise semântico-pragmática de interrogatórios realizados no fórum criminal da comarca de João Pessoa – PB. **Anais da XXIV Jornada Nacional do Grupo de Estudos Linguísticos do Nordeste**. Natal: EDUFRN, 2012.

FILLMORE, C. **Lectures on deixis**. Berkeley (Estados Unidos): University of California, 1971.

FREGE, G. Sobre o sentido e a referência. In: FREGE, G.; ALCOFORADO, P. **Lógica e filosofia da linguagem**. São Paulo: Cultrix, 1978.

FREITAS, A. C. **A intersubjetividade em sentenças judiciais**. 2008. Tese (Doutorado em Linguística Aplicada) – Pontifícia Universidade Católica, São Paulo, 2008.

GIERING, M. E.; Souza, J. A. C. Informar e captar: objetos de discurso em artigos de divulgação científica para crianças. In: CAVALCANTI, M. M.; LIMA, S. M. C. (Org.). **Referenciação**: teoria e prática. São Paulo: Cortez, 2013. p. 205-232.

GREEN, K. Deixis and Anaphora: Pragmatic Approaches. In: MEY, J. L. **Concise Encyclopedia of Pragmatics**. 2. ed. Oxford (Inglaterra): Elsevier, 2009.

GUIMARÃES, E. **Articulação do texto**. 10. ed. São Paulo: Ática, 2007.

ILARI, R. Semântica e pragmática: duas formas de descrever e explicar os fenômenos da significação. **Revista de estudos da linguagem**, [S.l.], v. 9, n. 1, p. 91-108, jun. 2000. Disponível em: <http://www.periodicos.letras.ufmg.br/index.php/relin/article/view/2321>. Acesso em: 29 maio 2013.

KOCH, I. V. **Desvendando os segredos do texto**. São Paulo: Cortez, 2002.

_____. Estratégias pragmáticas de processamento textual. **Caderno de Estudos Linguísticos**, Campinas, n. 30, p. 35-42, jan./jun. 1997.

_____. **Referenciação e discurso**. São Paulo: Contexto, 2005.

KOCH, I. V.; ELIAS, V. M. **Ler e compreender:** os sentidos do texto. 2. ed. São Paulo: Contexto, 2008.

KOCH, I. V.; MARCUSCHI, L. A. Processos de referenciação na produção discursiva. **D.E.L.T.A**, v. 14, p. 169-190, 1998. (Número especial).

LAHUD, M. **A propósito da noção de dêixis**. São Paulo: Ática, 1979.

LELLIS, L. M. **O texto nos acórdãos dos tribunais.** 2008. 203 p. Tese (Doutorado em Letras) – Pontifícia Universidade Católica, São Paulo, 2008.

LEVINSON, S. C. **Pragmática.** Tradução Luís Carlos Borges, Aníbal Mari; revisão da tradução Aníbal Mari; revisão técnica Rodolfo Ilari. São Paulo: Martins Fontes, 2007 [1983].

LIMA, G. H. S. A dêixis social e a emergência de identidades no discurso docente. **Anais do SILEL,** v. 2, n. 2. Uberlândia: EDUFU, 2009.

LIMA, S. M. C.; FELTES, H. P. M. A construção de referentes no texto/discurso: um processo de múltiplas âncoras. In: CAVALCANTE, M. M.; LIMA, S. M. C. **Referenciação:** teoria e prática. São Paulo: Cortez, 2013.

LYONS, J. **Lingua(gem) e linguística: uma introdução.** Tradução Marilda Winkler Averburg e Clarisse Sieckenius de Souza. Rio de Janeiro: LTC, 2011.

_____. **Introdução à linguística teórica.** Tradução Rosa Virginia Mattos e Silva e Hélio Pimentel. Revisão e supervisão Prof. Isaac Nicolau Salum. São Paulo: Companhia Editora Nacional/Edusp, 1979.

MARCUSCHI, L. A. **Produção textual, análise de gêneros e compreensão.** São Paulo: Parábola Editorial, 2008.

MARCUSCHI, L. A.; CALIXTO, S. M. A dêixis discursiva como estratégia de monitoração cognitiva. In: KOCH, I. V.; BARROS. K. S. M. (Org.). **Tópicos em linguística de texto e análise de conversação.** Natal: EDUFRN, 1997.

MEY, J. L. **Concise Encyclopedia of Pragmatics.** 2. ed. Oxford (Inglaterra): Elsevier, 2009.

MONDADA, L.; DUBOIS, D. Construção de objetos de discurso e categorização: uma abordagem dos processos de referenciação. In: CAVALCANTE, M. M. et al (Org.). **Referenciação.** São Paulo: Contexto, 2003.

MONTENEGRO FILHO, M. **Curso de direito processual civil.** Volumes 1 e 2. 5. ed. São Paulo: Atlas, 2009.

MOUZALAS, R. **Processo Civil.** 4. ed. Salvador: JusPODIVM, 2011.

NASCIMENTO, E. P. **A argumentação na redação comercial e oficial:** estratégias semântico-discursivas em gêneros formulaicos. João Pessoa: EDUFPB, 2012.

NELFE. Núcleo de Estudos Linguísticos da Fala e da Escrita. Disponível em: <https://nelfeufpe.wordpress.com>. Acesso em: 5 out. 2018.

NEVES, M. H. de M. **A teoria linguística em Aristóteles.** São Paulo: Alfa, 1981. Disponível em: <www.seer.fclar.unesp.br>. Acesso em: 20 jun. 2017.

NOVAES, A. M. P. Estratégias discursivas em gêneros textuais da área jurídica: um olhar sobre a produção de textos de alunos do curso de direito da Unesa. **Revista**

Philologus, Rio de Janeiro, Cifefil, ano 20, n. 58, jan./abr. 2014. Supl.: Anais do VI Sinefil. Disponível em: <http://www.filologia.org.br/revista/58supl/088.pdf>. Acesso em: 5 dez. 2016.

OLIVEIRA, L. A. **Manual de semântica**. Petrópolis: Vozes, 2008.

OLIVEIRA, R. P.; BASSO, R. M. A. Semântica, a pragmática e os seus mistérios. **Revista Virtual de Estudos da Linguagem**, v. 5, n. 8, mar. 2007.

PERRY, J. Frege on Demonstratives. In: DAVIS, S. **Pragmatics**. A reader. New York/Oxford: Oxford University Press, 1991.

PETRI, M. J. C. **Manual de linguagem jurídica**. São Paulo: Saraiva, 2008.

PONZIO, A. Indexicality in Peirce's Categories and Sign Typology. In: MEY, J. L. **Concise Encyclopedia of Pragmatics**. 2. ed. Oxford (Inglaterra): Elsevier, 2009.

RAJAGOPALAN, K. Os caminhos da pragmática no Brasil. **Revista D.E.L.T.A**, v. 15, n. especial, p. 323-338, 1999.

RODRIGUES, A. C. S. Língua falada e língua escrita. In: PRETI, D. (Org.). **Análise de textos orais**. v. 1. São Paulo: Projetos Paralelos, 1995.

SILVA, J. C. T. A fluidez do caráter dêitico-anafórico em casos de encapsulamento. **ReVEL**, v. 13, n. 25, 2015.

SILVA, J. M. **A Subjetividade linguisticamente marcada em pareceres técnicos e jurídicos**. 2007. Tese (Doutorado em Linguística) – Universidade Federal da Paraíba, 2007.

SILVA, M. A. Argumentação e polifonia. In: NASCIMENTO, E. P. **A argumentação na redação comercial e oficial:** estratégias semântico-discursivas em gêneros formulaicos. João Pessoa: EDUFPB, 2012.

SOARES, F. A. O processo de referenciação em "uma festa de cultura": uma forma de interação entre leitor e produtor do texto. **Sociodialeto**, Campo Grande, UEMS, v. 1, n. 6, fev. 2012.

STRAWSON, P. F. **Escritos lógico-linguísticos**. São Paulo: Abril Cultural, 1980. (Coleção Os Pensadores).

TRIBUNAL DE JUSTIÇA DA PARAÍBA. **Sentenças do Foro Cível**. Volume I. João Pessoa: Edições do TJ-PB, 2007.

TRISTÃO, R. M. S. **O boletim de ocorrência sob o aspecto da dêixis de base espacial como processo de instauração e manutenção de referência**. 2007. Dissertação (Mestrado em Letras) – Universidade Federal de Minas Gerais, 2007.

VILELA, M.; KOCH, I. V. **Gramática da Língua Portuguesa**: gramática da palavra, gramática da frase, gramática do texto/discurso. Coimbra: Almedina, 2001.

WEEDWOOD, B. **História concisa da linguística**. Tradução Marcos Bagno. São Paulo: Parábola Editorial, 2002.

Sites dos Tribunais de Justiça

Tribunal de Justiça de Goiás: www.tjgo.jus.br

Tribunal de Justiça da Paraíba: www.tjpb.jus.br

Tribunal de Justiça de Pernambuco: www.tjpe.jus.br

Tribunal de Justiça do Pará: www.tjpa.jus.br

Tribunal de Justiça do Paraná: www.tjpr.jus.br

Tribunal de Justiça do Rio Grande do Sul: www.tjrs.jus.br

Tribunal de Justiça de São Paulo: www.tjsp.jus.br

Tribunal de Justiça de Sergipe: www.tjse.jus.br